Une tasse de
Bouillon de Poulet pour l'Âme

JACK CANFIELD,
MARK VICTOR HANSEN
ET BARRY SPILCHUK

Une tasse de
Bouillon de Poulet
pour l'Âme

Des histoires
qui ouvrent votre cœur
et ravivent votre esprit

*Traduit par Annie Desbiens
et Miville Boudreault*

UNE ÉDITION DU CLUB QUÉBEC LOISIRS INC.
© Avec l'autorisation de Éditions Sciences et Culture Inc.
Titre original: A Cup of Chicken Soup for the Soul
© 1999, Éditions Sciences et Culture Inc.
Dépôt légal — Bibliothèque nationale du Québec, 1999
ISBN 2-89430-380-7
© 1996, Jack Canfield, Mark Victor Hansen, Barry Spilchuk
(publié précédemment sous ISBN 1-55874-421-5)
© 1999, Éditions Sciences et Culture Inc.
(publié précédemment sous ISBN 2-89092-245-6)

Imprimé au Canada

La pensée est le dialogue
que l'âme entretient avec elle-même.

Platon

Les histoires de ce livre ont été choisies pour alimenter votre réflexion: à propos de vous-même, de votre famille, de vos amis et de l'amour. En effet, c'est grâce à l'amour que l'on peut accomplir de grandes choses.

C'est avec amour et reconnaissance que nous dédions ce livre à nos épouses, Georgia, Patty et Karen, et à nos enfants, Christopher, Oran, Kyle, Elisabeth, Melanie, Jamie, Christine et Michael. Leur sagesse, leur bienveillance, leur amour et leur soutien nous ont permis de nous exprimer pleinement et du plus profond de notre âme.

Les citations

Pour chacune des citations contenues dans cet ouvrage, nous avons fait une traduction libre de l'anglais au français. Nous pensons avoir réussi à rendre le plus précisément possible l'idée d'origine de chacun des auteurs cités.

Table des matières

Remerciements 11
Introduction 18

1. L'amour
Un travail important   *Dan S. Bagley* 22
Un ange sur ma route   *Larry Miller* 25
La rose bleue   *Brenda Rose* 28
Les occasions à saisir   *Nick Lazaris* 30
Programme d'échange
   Mary Jane West-Delgado 33
Remède universel   *Henry Matthew Ward* . . 36
La simplicité des mots   *Roberta Tremblay* . . 38
Bénis soient ceux qui m'aiment
   Grace McDonald 40
J'ai «entendu» l'amour   *Paul Barton* 42
L'amour d'un père   *Auteur inconnu* 44
Un moment à la fois   *Barry Spilchuk* 47

2. Les relations parents-enfants
De la part de votre enfant à naître
   Donna McDermott 52
Toast de Noël   *Kelly Ranger* 54
Comme un grand   *Barry Spilchuk* 56
Encore un peu d'essence   *Cari Morrison* . . . 58
Ce n'est pas mon beau-père!   *Jayne Kelley* . 60
Une pierre deux coups   *Barry Spilchuk* 61
À mon fils devenu grand   *Auteur inconnu* . . 64

3. Vaincre l'adversité
Une ambition aveugle   *John Kanary* 68
Le pot de confiture   *Edgar Bledsoe* 70

Rien ne peut arrêter cet homme
Jeff Yalden 72
Guide de survie   *Charlie Plumb* 74
Ma mascotte   *Hedy J. Dalin* 78
Le courage sur demande   *Maureen Corral* . 80
Un obstacle sur la route   *Brian Cavanaugh* 82

4. Les souvenirs
Comme je l'ai aimée!   *Hanoch McCarty* ... 86
Le livre de Marc   *Denise Sasaki* 88
Joyeux Noël, Jennifer
Sarah, maman et papa Furrow 91
La sagesse d'une enfant
Alice Cravens Moore 94
Rappel à l'ordre   *Marilyn L. Teplitz* 96
Mon héros à moi   *Nancy Richard-Guilford*. 98
Frangin   *Paula Petrovic* 101
La carte de visite   *Steve Kendall* 104
Mon père   *Carl Lewis* 106
L'héritage   *Bonnie J. Thomas* 108
Le départ   *Barry Spilchuk* 110

5. Une question d'attitude
Un soutien inconditionnel!
Jack Canfield et Mark Victor Hansen... 114
De grandes attentes   *Barry Spilchuk* 116
Une image vaut mille mots
Christine James 119
Le sourire est compris   *Michael T. Burcon* . 122
Un coup de main de Dylan
Nancy Richard-Guilford 124
Dieu et la pluie   *Barry Spilchuk* 126
Un don du cœur   *Dee M. Taylor* 129

6. Les héros ordinaires

Une aide inattendue *Laurie Pines* 134
Tous pour un *Kim Noone* 137
Un jour à la plage *Kevin Toole* 138
Mon père est magicien *John Sandquist* . . . 140
Bienvenu à la maison *Amy Cubbison* 141
La charité des pauvres
    Mark Victor Hansen 144
Le service du 411 *Molly Melville* 147
L'échange *Mike Lynott* 150
La vente aux enchères *Elder Featherstone* . 152

7. La sagesse éclectique

Le champs de rêves *Ronald D. Eberhard* . . 156
Un don du ciel *N. Gayle Fischer* 160
Mauvais numéro? *Lin Hardick* 163
Une deuxième chance *Joanie Nietsche* 166
Une bouteille à la mer *Chrystle White* 169
Rompre le silence *Barry Spilchuk* 172
Ils l'auraient voulu ainsi!
    Douglas Paul Blankenship 174

À propos des auteurs: Jack Canfield,
    Mark Victor Hansen et Barry Spilchuk . 177
Autorisations 181

Remerciements

Ce livre est le premier fruit miniature de la série à succès *Bouillon de poulet pour l'âme*. Il a exigé de nous beaucoup d'amour et d'énergie pendant presque une année. Toutefois, ce livre n'aurait jamais dépassé le stade de l'idée sans la contribution des personnes suivantes que nous aimerions remercier:

Peter Vegso et Gary Seidler de Health Communications, qui ont continué de partager notre rêve et qui nous ont appuyés et encouragés sans réserve.

Nos épouses et nos enfants qui nous ont soutenus de leur affection, qui nous ont aidés à réviser et à écrire les histoires, et qui ont cru en nous et en ce projet, lequel consiste à toucher l'âme des gens et à leur enseigner l'art d'aimer.

Patty Aubery, qui, dès le début, a été la pierre angulaire de ce projet. Patty, nous t'aimons! Sans relâche, elle nous a poussés à nous dépasser. Nous croyons avoir été à la hauteur de ses attentes.

Nancy Mitchell, dont la perspicacité nous a permis de mieux comprendre ce que veulent nos lecteurs et mieux répondre aux exigences de notre département légal. Nous avons pu ainsi obtenir la centaine d'autorisations nécessaires pour garantir l'intégrité de ce livre et lui permettre de remplir sa mission. Merci, Nancy. Nous t'aimons.

Heather McNamara, qui a supervisé tous les aspects de la production de ce livre avec dévouement et sans compter ses heures. C'est grâce à elle si la publication de ce livre a été rendue possible.

Kim Wiele, qui nous a permis de garder le cap en insistant pour que *toutes* les histoires viennent du cœur.

Veronica Valenzuela, Julie Knapp, Ro Miller et Anna Maria Flores, qui nous ont aidés à ne pas dévier de la marche à suivre. Nous avons apprécié tous vos efforts.

Lisa Williams, qui a aidé Mark à préserver son équilibre et sa concentration.

Mary Jo Racine, qui a consacré de nombreuses heures à faire des recherches et à dactylographier de nouvelles histoires.

Aimee Kunkel, qui, grâce à son attitude «la fin justifie les moyens», nous a permis de mener à bien ce projet en un temps record.

Trudy, d'Office Works, qui nous a soutenus sur le plan informatique et nous a fait profiter de son expertise d'Internet.

Christine Belleris, Matthew Diener et Mark Colucci, nos rédacteurs chez Health Communications, qui ont fait preuve d'un professionnalisme attentionné dans leur travail et qui ont fait de ce projet une expérience agréable et merveilleuse.

Nos amitiés à Karen Spilchuk qui a lu *chaque* histoire et qui nous a donné une opinion honnête et amicale.

Jamie, Crissy et Mike Spilchuk, qui nous ont aidés pendant les étapes finales de production de ce livre en numérotant les pages et en effectuant des recherches pour retracer les auteurs des histoires. Nous vous aimons.

Paul Barton, le complice numéro un de Barry, qui a encouragé ce dernier à relever le défi et à ne ménager aucun effort pour mener à terme ce projet.

Sharon Ro, Brenda Rose, Marci Shimoff, Robyn Kalama, Sandy Rifkin et Mary Peterson, qui nous ont aidés à ne pas perdre de vue notre objectif.

Ann Taylor, Dennis Smith et Don Hull de Crawford & Company, qui nous ont grandement aidés en partageant notre rêve.

Bernie et Lynn Dohrmann, ainsi que les 7000 diplômés du Income Builders International Free Enterprise Forum. C'est à cet endroit que nous nous sommes rencontrés et que nous avons jeté les bases de ce nouveau témoignage d'amour pour nos lecteurs.

Valerie Gill, qui nous a aimés et soutenus de manière inconditionnelle. Elle a téléphoné partout en Amérique du Nord afin que nous puissions offrir de nouvelles histoires à notre public.

Scott Clark, Master DJ de MIX 100.5, Dave McLellan, John Tollesfrud de *North Bay Nugget*, Linda Holmes de MCTV et Wolf Hess de CBC Radio, qui nous ont donné un coup de pouce grâce à une couverture médiatique sensationnelle.

Bev Broughton et Peggy Walsh Craig, qui ont été les premières personnes à nous soumettre des histoires pour ce livre. Leur enthousiasme pour ce projet nous a permis de partir du bon pied.

La population de North Bay et du Nord de l'Ontario qui a offert un soutien incroyable à ce projet en nous fournissant des histoires et des encouragements. Grâce à elle, ce livre est le premier *Bouillon de poulet* conçu au Canada.

La Nipissing University, le Canadore College et la North Bay Public Library, qui nous ont ouvert leurs archives et leurs bibliothèques pour nous permettre de «naviguer sur Internet» et de fouiller les livres d'histoire.

Tom et Becky Stambaugh, les véritables Père et Mère Noël, qui nous ont soumis le plus grand nombre d'histoires. Lorsque nous sommes avec eux, on dirait que c'est toujours Noël.

Joyce Spilchuk et Dorothy Belanger, qu'on a surnommées les Reines de la citation. Ces deux précieuses collaboratrices nous ont envoyé des douzaines de citations à lire; plusieurs de leurs trouvailles ont été retenues pour publication.

Paula Petrovic, qui nous a fourni les outils pour aimer et nourrir cette nouvelle création, de sa conception jusqu'à sa naissance.

Eugene et Tim Spilchuk, pour avoir cru en Barry.

Les quelque 5000 personnes qui nous ont proposé des histoires, des poèmes et des anecdotes. Vous vous reconnaîtrez sûrement. Nous vous remercions de vos efforts et de vos propositions. Si la plupart des textes étaient magnifiques, certains s'inséraient difficilement dans la structure d'ensemble de ce livre. Cependant, un grand nombre de ces textes seront utilisés dans les volumes ultérieurs de la série *Bouillon de poulet pour l'âme*.

Nous tenons également à remercier les personnes suivantes, qui ont lu la toute première version des 160 histoires, qui nous ont aidés à faire une sélection et qui ont fait des commentaires inestimables sur la façon d'améliorer ce livre: Paul Barton (coauteur avec Barry de *The Magic of Masterminding*), Jill Bentley, Patricia Carr, Tom Chavez, Paulette Chang, Scott Clark, Carol Conrad, Maureen Corral, Janina Daly, Marilyn Duvall, Christy et Ann Ellis, Yves Gervais, Nancy Richard-Guilford, James Guilford, Janet Hagerman, Adoria Kante, Donna Loesch, Jill Miller, Cheryl Myers,

Dana Ouderkerk, Joyce Spilchuk, Kathy Spilchuk et Mary Jane West-Delgado.

Arielle Ford et Kim Weiss, nos relationnistes qui nous ouvrent les portes des stations de radio et de télévision afin que nous puissions propager notre bonne nouvelle.

Compte tenu de l'envergure de ce projet, nous avons sans doute oublié de remercier des personnes très importantes qui nous ont aidés en cours de route, notamment les voisins de Barry qui ont donné un coup de main à sa famille pendant son séjour de deux mois à Santa Barbara. Sachez que nous nous excusons de cet éventuel oubli et que nous vous remercions du fond du cœur pour votre appui et vos efforts.

Finalement, nos remerciements aux millions de personnes qui possèdent au moins un livre de la série *Bouillon de poulet pour l'âme* : merci de partager notre rêve et de soutenir nos projets. C'est avec amour que nous *vous* offrons ce livre!

Introduction

C'est du fond du cœur que nous vous offrons cette *Tasse de bouillon de poulet pour l'âme*. Ce livre contient des histoires et des citations qui vous inspireront et vous inciteront à aimer encore plus inconditionnellement, à vivre encore plus passionnément et à poursuivre encore plus ardemment vos rêves les plus chers. Ce livre vous soutiendra dans les moments de difficulté, de déception et de défaite, et vous réconfortera dans les moments de confusion, de souffrance et de perte. Il deviendra un véritable compagnon de route en vous aidant à grandir en compréhension et en sagesse dans tous les aspects de votre vie.

Nous croyons que ce livre vous fera vivre une extraordinaire expérience. Les trois premiers volumes, *Un 1er bol de bouillon de poulet pour l'âme*, *Un 2e bol de bouillon de poulet pour l'âme* et *Un 3e bol de bouillon de poulet pour l'âme*, ont profondément marqué la vie de plus de treize millions de lecteurs à travers le monde.

Les centaines de lettres que nous rece-
vons chaque semaine témoignent des
transformations miraculeuses qui se sont
produites chez des individus et des organi-
sations qui ont lu et utilisé ces livres. Tous
ces gens nous disent que l'amour, l'espoir, le
soutien et l'inspiration qu'ils ont trouvés
dans nos histoires ont changé leur existence.

On peut lire ce livre d'un seul trait —
beaucoup l'ont fait et ont éprouvé une
grande satisfaction. Cependant, nous vous
recommandons de prendre votre temps et
de savourer chaque histoire. Vous déguste-
rez ainsi cette *Tasse de bouillon de poulet
pour l'âme,* une gorgée à la fois.

Faites lire ces histoires
aux autres

Au fil des ans, beaucoup de gens nous
ont inspirés en nous faisant connaître leurs
histoires. Nous les en remercions. Nous
espérons pouvoir à notre tour vous inciter à
aimer et à vivre plus intensément. Si nous
y parvenons, nous aurons réussi.

*Les histoires sont
comme une poudre magique.
Plus on en donne, plus on en reçoit.*

Polly McGuire

Nous vous souhaitons autant de plaisir
à lire cette *Tasse de bouillon de poulet pour
l'âme* que nous en avons eu à le préparer.

*Jack Canfield,
Mark Victor Hansen,
et Barry Spilchuk*

1

L'AMOUR

Une cloche n'est une cloche
que lorsque vous la faites sonner;
Une chanson n'est une chanson
que lorsque vous la chantez;
L'amour n'est pas dans votre cœur
pour y rester;
L'amour n'est de l'amour
que lorsque vous le donnez!

Oscar Hammerstein

Un travail important

Ce jour-là, les dernières personnes qui montèrent à bord du vol Seattle-Dallas furent une femme et ses trois enfants. «Oh! Je vous en prie! Ne vous assoyez pas à côté de moi», pensai-je. «J'ai tant de travail à faire.» Toutefois, quelques minutes plus tard, une fillette de 11 ans et son frère de 9 ans vinrent s'asseoir à côté de moi tandis que la mère et le petit frère de 4 ans s'installèrent derrière moi.

Presque aussitôt, les deux plus vieux se mirent à se chamailler pendant que le plus jeune donnait des coups de pied dans le dossier de mon siège. À tout bout de champ, le garçon de 9 ans demandait à sa sœur: «On est où, maintenant?». «Tais-toi donc», lui lançait-elle à tout coup. Et voilà que nous étions repartis pour une autre séance de pleurnicheries et de jérémiades.

«Les enfants ne savent pas ce que c'est le travail», songeai-je, très contrarié par leur présence. Puis, une voix monta en moi, aussi clairement qu'une mélodie, qui disait *Aime-les*. «Ces enfants sont des braillards et j'ai un travail important à finir», me

rétorquai-je à moi-même. Mais la voix
poursuivit: *Aime-les comme s'ils étaient tes
propres enfants.*

Comme j'avais déjà entendu 100 fois la
question «On est où, maintenant?», je pris
le magazine de la compagnie d'aviation
malgré l'important travail que j'avais à
faire.

J'expliquai aux enfants le trajet de
notre vol, le divisai en portions de un quart
d'heure et leur prédis à quelle heure environ nous serions à Dallas.

Bientôt, les enfants me racontèrent le
voyage qu'ils venaient de faire à Seattle
pour aller voir leur père hospitalisé. Pendant notre discussion, ils me posèrent des
questions sur les avions, sur la navigation,
sur la science et sur les opinions des grandes personnes à propos de la vie. Le temps
fila et mon «important travail» resta au
fond de mon sac.

Juste avant d'atterrir, je leur demandai
comment leur père allait maintenant. Ils se
turent un moment, puis le plus vieux des
garçons me répondit tout simplement: «Il
est mort.»

«Oh, je suis navré.»

«Oui, moi aussi. Mais c'est mon petit frère qui m'inquiète le plus. Il le prend très mal.»

Je me rendis compte soudain que les choses dont nous avions parlé, eux et moi, représentaient le travail le plus important auquel nous devons faire face: vivre, aimer et grandir malgré la souffrance.

Lorsque vint le moment de nous dire au revoir à l'aéroport de Dallas, le garçon de 9 ans me serra la main et me remercia de lui avoir enseigné les «bases de l'aviation». Moi, je le remerciai de m'avoir enseigné quelque chose de bien plus important.

Dan S. Bagley

Un ange sur ma route

Je suis photographe d'enfants depuis plus de 20 ans. Une année, le jour de l'Action de grâce, je reçus un cadeau spécial d'un de ces enfants. Emily, tout de blanc vêtue, était assise sur le sol. Mignon bébé de six mois, elle se reposait dans son siège d'enfant.

«Emily ne va pas bien aujourd'hui», me dit sa mère. La petite fille semblait effectivement fiévreuse, et sa tête chancelait tandis qu'elle essayait de rester en position assise. J'essayai de prendre quelques poses, mais sans grand résultat. Au bout d'un moment, je m'approchai de son visage et me mis à lui parler. «Tu ressembles à un ange», lui dis-je.

Soudain, l'enfant s'immobilisa et parvint à tenir sa tête bien droite. Elle me regarda comme pour dire «ça va aller, ce n'est pas ma journée, c'est tout». Puisque Emily a l'air d'un ange, c'est ainsi que je vais la photographier, décidai-je.

Dans mon studio, je garde toujours une paire d'ailes d'ange faites de véritable duvet d'oie, très doux et d'un blanc immaculé. Je les installai sur Emily, puis je lui mis sur la tête une délicate couronne de fleurs. Je commençai alors à photographier mon petit ange qui semblait flotter sur un nuage.

Avant que je m'en rende compte, sa mère pleurait. «Elle est réellement un ange. Hier, nous avons appris qu'elle souffre d'une rare maladie du cerveau. C'est le premier et dernier jour de l'Action de grâce que nous passons avec elle», me raconta la mère en sanglotant. «Les enfants atteints de cette maladie ne se rendent pas à leur premier anniversaire de naissance. Lorsque j'étais enceinte d'elle, j'ai suivi toutes les recommandations des médecins. Je n'ai pas fumé, j'ai surveillé mon alimentation, mais le développement de son cerveau ne se fera jamais. Il existe seulement 435 cas connus de cette maladie.

«Vous venez de voir en Emily l'ange qu'elle est réellement, et nous l'aimons tellement. Elle est notre petit ange descendu du ciel pour nous dire que Dieu veut que nous appréciions ce que nous avons. Vous l'avez senti, vous aussi. Parfois, on lui parle et elle devient si sereine, si calme. Elle se met à babiller et on pourrait presque comprendre ce qu'elle dit. Comme si elle essayait réellement de nous dire quelque chose. Les photos que vous avez prises sont très importantes pour nous. Nous ne savons pas combien de temps encore elle restera avec nous. Vous avez immortalisé notre petit ange.»

La gorge serrée, je lui répondis: «Je vous remercie de m'avoir amené votre petit ange. Je suis content qu'elle ait volé jusqu'à moi!».

Larry Miller

Aimer et être aimé,
c'est sentir le soleil à la fois
sur son visage et sur sa nuque.

David Viscott

La rose bleue

Pendant des années, je fréquentai des hommes qui n'avaient pas de place pour moi dans leur vie ou qui étaient incapables de s'engager. Les rapports que j'entretenais avec eux étaient pleins de souffrance. Comme je voulais me marier, je savais que je devais faire quelque chose de radicalement différent.

Un jour, je décidai de prier. «Mon Dieu, je ne sais pas comment choisir le bon compagnon, alors choisissez pour moi mon Divin Bien-Aimé, puis préparez-nous tous les deux à nous unir. Pour que je sache qu'il s'agit bien de mon élu, faites que le signe pour le reconnaître soit une *rose bleue*.»

Chaque jour, pendant les cinq mois qui suivirent, je me disais que mon Divin Bien-Aimé venait vers moi et que nous nous reconnaîtrions au moment opportun.

Chaque jour, je lâchais prise un peu plus et m'ouvrais davantage à Dieu qui m'aimait. Je cherchais ma rose bleue.

Douze jours après avoir quitté mon partenaire d'alors, un homme abusif, j'assistai à une conférence d'Alan Cohen. Il parla du pouvoir que nous avons tous d'apporter le bonheur à une autre personne. Sa conférence me toucha si profondément que lorsqu'il invita l'assistance à faire un exercice dans ce sens, je fus la première à me lever. Plus de 100 personnes autour de moi cherchaient également l'âme sœur.

Soudain, le silence tomba et un jeune homme aux yeux bleus se plaça devant moi. Nous nous prîmes les mains et nous nous regardâmes dans les yeux. Je lui demandai: «Veux-tu m'accorder le bonheur?». Pendant un long moment, il me souhaita en silence l'amour inconditionnel et le bonheur. Puis il me demanda: «Veux-tu m'accorder le bonheur?», et je lui retournai tout l'amour dont il m'avait inondée l'instant d'avant. Aucune autre parole ne sortit de notre bouche.

Lorsque l'exercice prit fin, tout le monde retourna s'asseoir. Je flottais. Quelques minutes plus tard, le jeune homme revint me voir et me dit qu'il s'appelait David Rose. Je sus alors que Dieu venait de m'offrir un *Rose aux yeux bleus*.

Un an plus tard, nous nous mariâmes.

Brenda Rose

Les occasions à saisir

J'étais seul à la maison avec ma fille de 3 ans, Ramanda. J'avais offert à mon épouse de garder pour qu'elle puisse faire une sortie avec une amie. Je travaillais pendant que ma fille semblait jouer tranquillement dans la pièce d'à côté. Tout va bien, me disais-je.

Lorsque la maison devint un peu trop tranquille à mon goût, toutefois, je demandai d'une voix forte: «Qu'est-ce que tu fais, Ramanda?». Aucune réponse. Je répétai ma question et entendis ma fille me dire: «Rien...». *Rien? Ça ne me rassure pas du tout...*

Je me levai et courus vers le salon, mais Ramanda se sauva dans le couloir. Je la poursuivis ensuite jusqu'à l'étage et je vis son petit derrière s'engouffrer dans la chambre à coucher. «Je la tiens!», pensai-je. Elle essaya alors d'aller se cacher dans la salle de bains, mais je lui bloquai le passage. Je lui demandai de se tourner vers moi. Elle refusa. Puis, de ma grosse voix de papa autoritaire, je lui ordonnai: «Jeune fille, je t'ai demandé de te retourner!»

Lentement, elle se tourna vers moi. Dans sa main, elle tenait ce qui restait du tout nouveau rouge à lèvres de mon épouse, et toute sa figure était barbouillée de rouge flamboyant (sauf les lèvres, évidemment)!

Lorsqu'elle leva vers moi ses petits yeux coupables, la bouche tremblante, j'entendis toutes les voix qui avaient crié après moi lorsque j'étais petit: «Comment as-tu pu... Tu sais très bien que... Combien de fois t'ai-je dit... Quel gâchis tu as fait...». Je n'avais plus qu'à choisir parmi ces réprimandes celle qui me permettrait de faire sentir à ma fille à quel point elle avait été vilaine.

Avant de laisser libre cours à mes remontrances, cependant, je regardai le chandail que mon épouse avait mis à Ramanda une heure plus tôt. On pouvait y lire cette phrase en grosses lettres: «JE SUIS UN VRAI PETIT ANGE!». Mon regard se posa de nouveau sur les yeux larmoyants de ma fille et, plutôt que de voir une vilaine petite fille qui avait désobéi, je vis une enfant de Dieu... un vrai petit ange, un être précieux, une enfant qui débordait d'une spontanéité merveilleuse et que j'étais passé à deux cheveux de réprimander.

«Mon trésor, tu es ravissante! Viens, je vais te prendre en photo pour que maman voie à quel point tu es mignonne.» Je la photographiai, puis je remerciai Dieu de m'avoir donné l'occasion de Lui dire quel bel ange il m'avait donné.

Nick Lazaris

*C'est seulement en aimant
que nous pouvons apprendre
à aimer.*

Iris Murdoch

Programme d'échange

Nous connûmes et accueillîmes Andrea lorsqu'elle descendit de l'autobus nolisé en même temps que les autres étudiants de son pays. Tous venaient de Slovaquie et participaient à un programme d'échange. Andrea parlait anglais, mais elle était très nerveuse. Je pouvais comprendre sa nervosité: nous sommes une famille de cinq, et nos enfants sont tellement habitués d'avoir autour d'eux des étudiants de ces programmes qu'à l'arrivée d'Andrea, ils se ruèrent sur elle pour la serrer dans leurs bras.

Toutefois, comme nous l'apprîmes plus tard, Andrea n'était pas familière avec ces manières. Dans notre famille, voyez-vous, les étreintes sont chose courante. Nous nous serrons dans les bras les uns les autres plusieurs fois par jour, et Andrea n'eut pas le choix que de le remarquer. L'expression de son visage en disait long chaque fois qu'elle nous voyait poser des gestes d'affection. Elle aimait bien ces gestes. Et elle en voulait aussi.

Elle me raconta son enfance en Europe. En fait, sa mère était très aimante et toutes deux avaient des rapports affectueux, mais «à la manière européenne» précisa Andrea. Sa mère ne l'avait pas serrée dans ses bras depuis sa tendre enfance.

Pendant son séjour avec nous, à l'été 1992, Andrea fut vite considérée comme l'une des nôtres. Très rapidement, notre famille se prit d'affection pour elle et lui donna sa part d'affection.

Avec nous, elle découvrit la joie de serrer quelqu'un dans ses bras et, surtout, se rendit compte qu'elle devait absolument vivre cette expérience affective avec sa mère.

À la fin du mois d'août, Andrea repartit pour la Slovaquie. Elle s'envola vers l'aéroport de Munich, où l'attendait sa mère. Celle-ci allait bientôt avoir la surprise de sa vie. Elle accueillit Andrea avec son sourire aimant et quelques mots affectueux, puis elle voulut l'aider à transporter ses bagages.

Cependant, Andrea prit tendrement sa mère par le bras et lui dit: «Maman, je veux te serrer dans mes bras.» Andrea raconte que sa mère, pendant un moment, ne sut pas comment réagir. Andrea regarda sa mère, qui avait les larmes aux yeux, puis poursuivit: «Maman, j'ai besoin de te serrer dans mes bras et j'ai besoin que tu me serres dans tes bras. Souvent.»

Et c'est ce qu'elles firent. Elles ne bougèrent pas d'où elles étaient. Andrea dit qu'elles demeurèrent assises là durant trois heures. Elles pleurèrent. Elles s'étreignirent. Elles parlèrent. Elles pleurèrent encore, s'étreignirent encore et parlèrent pendant longtemps.

Andrea dit qu'elle élèvera ses enfants en les serrant souvent dans ses bras et que sa mère y prendra une grande part, elle aussi.

Mary Jane West-Delgado

Remède universel

Ils ne nécessitent aucun versement
    mensuel et ne contiennent aucune pièce
    mobile,
N'occasionnent aucun frais et ne requièrent
    aucune pile;
Ils sont non taxables et à l'abri de
    l'inflation,
Ils s'avèrent même excellents pour la
    relaxation.

Ils ne craignent pas les voleurs et ne
    polluent pas,
Sont offerts en une seule grandeur et ne se
    volatilisent pas;
Ils ne consomment à peu près pas
    d'énergie,
Mais redonnent beaucoup de vie.

Ils soulagent le stress et la douleur,
Ils alimentent votre bonheur;
Ils combattent la dépression et créent la
    joie,
Ils rehaussent même l'estime de soi!

Ils améliorent la circulation de votre sang
Et ne causent aucun effet secondaire
    déplaisant;
Ils constituent, à mon avis, un remède
    digne de Merlin:
Ce sont, je vous les recommande, les câlins!

(Évidemment, on peut les échanger sans
    problème!)

Henry Matthew Ward

La simplicité des mots

Les fleurs fraîchement coupées sont une chose d'une grande beauté. De temps à autre, j'offre un bouquet ou une simple rose à un voisin, à un ami ou à un membre de ma parenté.

Un jour, je cueillis pour moi-même un magnifique bouquet de roses à longues tiges, délicatement parfumées. Ces roses étaient vraiment une merveille pour mes yeux.

Pendant que je me disais à quel point je les aimais, une voix paisible me parvint et me dit: «Offre-les à ton amie».

Je rentrai aussitôt dans la maison, déposai les roses dans un vase et écrivis un mot le plus bref possible: «Pour mon amie». Puis, je traversai la rue pour me rendre chez ma voisine, qui était aussi une de mes grandes amies, et je laissai le bouquet sur son perron.

Un peu plus tard, le même jour, mon amie téléphona pour me remercier. Elle m'expliqua que ces fleurs tombaient vraiment bien. La veille, tard dans la soirée, elle s'était disputée avec un de ses enfants.

Cruel comme le sont parfois les jeunes en crise d'adolescence, son enfant lui avait dit: «Tu n'as même pas d'ami!».

En partant travailler ce matin-là, ce fut donc une belle surprise pour elle de trouver devant sa porte non seulement un bouquet, mais ce tout petit mot qui disait simplement:

«Pour mon amie».

Roberta Tremblay

Le bonheur suprême dans la vie,
c'est la conviction d'être aimé.

Victor Hugo

Bénis soient ceux
qui m'aiment

Bénis soient ceux qui se montrent
 indulgents
Devant ma main tremblante et mon pas
 chancelant.
Bénis soient tous ceux qui comprennent
Que mes oreilles entendent maintenant à
 peine.

Bénis soient ceux qui ont la délicatesse de
 considérer
Que ma vue faiblit, que mes mots sont durs
 à prononcer.
Bénis soient ceux qui n'ont pas bronché
Quand j'ai renversé mon thé sur la nappe
 au dîner.

Bénis soient ceux qui, courtoisement,
M'ont rendu visite pour bavarder
 gentiment.
Bénis soient ceux qui ne me font pas
 remarquer:
«Cette histoire, tu l'as déjà racontée.»

Bénis soient ceux qui ne cessent de me
    répéter
Qu'ils m'aiment et qu'ils resteront toujours
    à mes côtés.
Béni soit mon médecin qui a la générosité
De venir me voir quand je ne peux pas me
    déplacer.

Bénis soient tous ceux qui, avec amour,
Contribuent à faciliter mes dernières
    années.
Bénie soit ma famille que je chéris,
Car c'est grâce à elle si je suis encore en vie.

Grace McDonald

*Ne quittez jamais quelqu'un
sans lui dire quelques mots tendres
auxquels il pensera
durant votre absence,
car ce pourrait être la dernière fois
que vous vous voyiez.*

Jean Paul Richter

J'ai «entendu» l'amour

Au cours de mon enfance, je ne me rappelle pas avoir entendu mon père me dire «Je t'aime». Lorsque votre père ne vous dit jamais ces mots alors que vous êtes enfant, il lui devient de plus en plus difficile de vous les dire en vieillissant. Pour être honnête, je ne me souviens pas de la dernière fois où je lui ai dit ces mots.

Un jour, je décidai donc de marcher sur mon orgueil et de faire les premiers pas. Après une certaine hésitation, je profitai d'une conversation téléphonique pour lancer ces mots à mon père: «Papa... je t'aime!»

Ce fut le silence à l'autre bout du fil, puis mon père bafouilla: «Même chose pour toi!»

J'eus un petit rire étouffé et lui dit: «Papa, je sais que tu m'aimes; lorsque tu seras prêt, je sais que tu me diras ce que tu veux me dire.»

Quinze minutes plus tard, ma mère me téléphona et me demanda un peu nerveusement: «Paul, est-ce que tout va bien?».

Quelques semaines après, lors d'une conversation téléphonique avec lui, mon

père me dit «Paul, je t'aime» avant de rac-
crocher. J'étais au travail, et des larmes
coulèrent sur mes joues au son de ces mots
que j'«entendais» enfin.

Assis chacun de notre côté à pleurer,
nous prîmes conscience que ce moment pri-
vilégié avait donner un nouveau souffle à
notre relation.

Peu de temps après cette conversation
téléphonique, mon père faillit mourir à la
suite d'une intervention chirurgicale au
cœur. Depuis, je me dis souvent que si je
n'avais pas fait les premiers pas et que
papa n'avait pas survécu, je n'aurais jamais
«entendu» l'amour.

Paul Barton

L'amour d'un père

Un père dit rarement «je t'aime»
Même si d'amour son cœur est habité,
Car étrangement ces simples mots
Sont parmi les plus difficiles à prononcer.

Un père dit parfois «je t'aime»
D'une manière que les mots ne pourraient
  exprimer,
En te racontant une histoire le soir, par
  exemple,
Ou en jouant avec toi à la balle.

Tu verras parfois les mots «je t'aime»
Dans les yeux d'un père tout excité
De rentrer à la maison pour offrir
Un cadeau surprise mal emballé.

Un père peut aussi dire «je t'aime»
Lorsqu'il te donne un coup de main,
Qu'il te sourit malgré tes erreurs,
Qu'il comprend sans que tu lui fasses un
  dessin.
Il dit «je t'aime» avec hésitation,
Un peu gauche dans ses gestes d'affection.
(Difficile d'aider une enfant de quatre ans à
  boutonner une robe de fête!)

Il exprime son amour avec générosité,
En donnant tout ce qu'il peut donner
Pour qu'un rêve puisse se réaliser,
Pour qu'un plan puisse se concrétiser.

L'amour souvent inexprimé d'un père
S'entend clairement au fil des ans:
Parfois dans ses gros fous rires,
Parfois dans ses larmes de contentement.

Peut-être qu'un père a sa propre façon
D'exprimer l'amour qu'il ressent,
Car l'amour qu'il a pour toi
Fait que les mots sont insuffisants!

Auteur inconnu

Un homme apprend à se connaître
lorsque son fils lui dit:
«Tu sais, papa,
tu as accordé plus d'importance
à faire avancer ta carrière
qu'à nous aider à devenir adultes.»

George Ignatieff

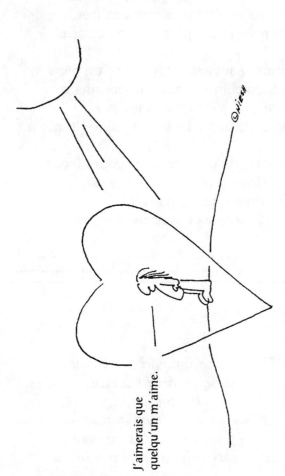

J'aimerais que quelqu'un m'aime.

Allan M. Hirsh Cartoons. Reproduit avec autorisation. Allan M. Hirsh.

Un moment à la fois

«Alors, comment bâtit-on une relation avec quelqu'un?» On me posa cette question à l'occasion d'un séminaire que je donnais sur les relations humaines dans le cadre d'un programme du YMCA.

Je dois admettre que, sur le coup, la question me prit par surprise. Nous avions discuté de «théorie» toute la journée, et la femme qui m'interrogeait voulait savoir comment, concrètement, on bâtit des relations avec sa clientèle ou, en fait, avec qui que ce soit.

Après quelques secondes de réflexion, je répondis à cette femme que la seule chose qui me venait à l'esprit était de parler de ma propre expérience. Un peu timidement, je me mis donc à lui raconter comment mon épouse et moi avions sauvé notre mariage.

Je dus faire un retour en arrière, jusqu'à ce jour où Karen et moi étions allés à une fête foraine. En jouant à un jeu de hasard, j'avais gagné comme prix de consolation deux cœurs en velours rouge, collés ensemble. J'avais séparé les deux cœurs, en avais donné un à Karen et avais gardé l'autre pour moi.

Nous étions mariés depuis 10 ans et notre relation en était à une sorte de «temps mort». Nous nous aimions encore, mais quelque chose manquait.

Lasse de ce «temps mort» que nous vivions, Karen décida un matin de faire quelque chose. Elle prit l'un des cœurs et le cacha dans ma serviette de bain pendant que je prenais une douche. Lorsque je soulevai ma serviette, le cœur tomba par terre. En me penchant pour le ramasser, je me sentis envahi par l'émotion; je me rappelai la fois où j'avais gagné les deux cœurs et l'amour que nous avions alors l'un pour l'autre.

J'allai donc cacher le cœur dans son tiroir de chaussettes. Karen le cacha ensuite dans mon tiroir de sous-vêtements. Je le cachai dans le réfrigérateur. Elle l'enveloppa dans une pellicule de plastique et le cacha dans le bocal de beurre d'arachides. Nous avions maintenant autant de plaisir à cacher le cœur qu'à le trouver.

Chaque fois que nous le cachions ou le trouvions, c'était un moment à chérir, comme ce moment où nous étions tombés amoureux l'un de l'autre, comme ce moment où nous nous étions donné notre premier baiser, comme ce moment où nous avions vu notre enfant venir au monde. Chacun de ces moments est précieux pour nous.

Comment bâtit-on une relation? Un *moment* à la fois!

Barry Spilchuk

*La vie n'est pas faite
d'événements marquants;
elle est faite de simples moments.*

Rose Kennedy

2

LES RELATIONS PARENTS-ENFANTS

*Si vous voulez
que vos enfants tournent bien,
consacrez-leur deux fois plus de temps
et deux fois moins d'argent.*

Abigail Van Buren

De la part de votre enfant à naître

Chère maman,
Cher papa,

Je vous écris cette lettre en espérant que vous réfléchirez, avant ma naissance, à la façon dont vous m'élèverez. Je suis un enfant joyeux. J'ai besoin d'amour et de respect, de stabilité et de cohérence.

Lorsque j'arriverai, je vous semblerai très petit. Même si je ne ressemblerai pas à une grande personne, je vous prie de comprendre que je suis un être humain.

Je ne pourrai pas vous parler au début, mais j'apprendrai à vous connaître avec mon cœur. J'éprouverai tous vos sentiments, j'absorberai toutes vos pensées. Je finirai peut-être par vous connaître encore plus que vous-mêmes. Ne vous méprenez pas sur mon silence. Je vais m'ouvrir, grandir et apprendre plus rapidement que vous ne pouvez l'imaginer.

Tout ce que je verrai laissera des empreintes en moi, alors assurez-vous que mes yeux voient la beauté. Tout ce que j'entendrai restera en moi, alors assurez-vous que mes oreilles entendent de la musique et des mots tendres, et faites aussi que le silence vienne de temps à autre m'apaiser. Tous les sentiments que j'éprouverai m'habiteront, alors assurez-vous de mettre plein d'amour dans notre vie.

J'attends impatiemment de venir au monde. Je suis si heureux d'avoir la chance de vivre. Lorsque vous me verrez enfin, vous vous rappellerez peut-être à quel point la vie est précieuse!

De la part de votre enfant joyeux

Donna McDermott

*La seule façon de comprendre
l'amour de ses parents
est d'élever soi-même des enfants.*

Proverbe chinois

Toast de Noël

Un dimanche soir, après avoir fait notre sapin de Noël, je demandai à mes deux fils d'aller se mettre au lit. Justin me répondit qu'il aurait aimé que l'on s'assoie tous devant le sapin pour l'admirer. Il me demanda si nous pouvions leur accorder ce moment avant que son frère et lui n'aillent se coucher.

Malgré l'heure tardive, je décidai de lui accorder ce moment. Je déclarai que c'était une excellente idée, puis je suggérai que nous buvions un verre de lait de poule près du sapin et que nous portions un «toast» au Noël qui approchait. Justin était si excité qu'il courut à la cuisine sortir le lait de poule du réfrigérateur. J'allai alors chercher nos plus beaux verres de cristal et laissai Justin les remplir. Ensuite, je les apportai sur la petite table du salon et demandai à mon fils aîné, resté dans la cuisine, de venir nous rejoindre au salon.

Lorsque nous fûmes tous assis près du sapin, Justin était encore dans la cuisine. Je l'appelai de nouveau.

Justin répondit: «J'arrive dans une minute, maman, le toast est presque prêt!»

Il était en train de faire un toast dans le grille-pain! Mon époux et moi riions à gorge déployée lorsque Justin entra dans le salon. Il se présenta avec une assiette, dans laquelle il avait placé un toast séparé en quatre morceaux, et s'exclama: «Voilà, nous sommes prêts, j'ai le toast de Noël!»

Assis près de l'arbre, nous bûmes notre lait de poule et mangeâmes notre morceau de toast sec en admirant les décorations. Nous n'expliquâmes pas à Justin ce que signifiait «porter un toast», car il était si fier de ce qu'il avait fait. Et nous ne lui avons toujours pas dit. Lorsque je repense à l'expression de son visage ce soir-là, j'en ai encore les larmes aux yeux. Sa joie m'avait procuré un tel bonheur que je n'avais pas insisté pour que nos fils aillent se coucher à la même heure que d'habitude. J'ai appris que parfois, lorsqu'on accorde un moment, on reçoit beaucoup plus.

Kelly Ranger

Comme un grand

Karen et moi étions fiers d'être les «parents de la journée» dans la classe de maternelle de notre fils Michael. Nous eûmes beaucoup de plaisir quand il nous fit visiter sa classe et qu'il nous présenta tous ses amis. Nous participâmes aux bricolages et passâmes un bon moment dans le carré de sable durant l'avant-midi. Une vraie partie de plaisir!

«Placez-vous en cercle», demanda l'enseignante. «C'est l'heure de l'histoire.» Désireux de prendre part à cette activité, Karen et moi nous mîmes en cercle avec nos nouveaux petits amis.

À la fin de l'histoire, intitulée *Je suis grand maintenant*, l'enseignante demanda à ses élèves encore charmés par l'histoire: «Qu'est-ce qui vous fait vous sentir grands?»

«Quand je vois des insectes, je me sens grand», cria un enfant. «Les fourmis!», s'exclama un autre. «Les moustiques!», dit encore un autre.

L'enseignante voulut alors ramener un peu d'ordre dans la classe et demanda aux enfants de lever la main pour répondre. Puis, s'adressant à une petite fille, elle dit: «Toi, ma chérie, qu'est-ce qui te fait te sentir grande?». «Ma maman», répondit la fillette.

«Et que fait-elle, ta maman, pour te faire sentir grande?», poursuivit l'enseignante. «C'est facile, répondit la petite fille, elle me serre dans ses bras et me dit *je t'aime, Jessica!*»

Barry Spilchuk

*Il existe seulement
deux choses durables
que vous puissiez léguer
à vos enfants:
des racines et des ailes.*

Hodding Carter

Encore un peu d'essence

Le père de Bob était vendeur de voitures dans la ville de Stockton. Sa propre voiture — une Cadillac 1958 — faisait sa fierté et sa joie. C'était le genre de bagnole qui avançait comme un paquebot, aussi longue qu'une maison, dont les ailes montaient presque jusqu'au ciel et qui était entretenue comme seul un homme peut entretenir une voiture. Le père de Bob la gardait toujours à l'abri des intempéries. Il la lavait et la cirait religieusement. Bref, c'était un exemple étincelant de trésor dont on prend un soin minutieux. Bob venait juste d'avoir 16 ans et de recevoir son permis de conduire. Son père, conscient que son fils désirait ardemment conduire la Cadillac, lui donna trois dollars et lui demanda d'aller mettre de l'essence.

Fou de joie et de fierté, Bob conduisit jusqu'à la station et demeura assis dans la voiture, le sourire fendu jusqu'aux oreilles, pendant que le préposé remplissait le réservoir d'essence, lavait les vitres, vérifiait l'huile et la pression des pneus (n'oubliez pas que cela se passait en 1960!).

Ensuite, l'inimaginable se produisit. En sortant du stationnement, Bob tourna trop prêt d'un pilier de ciment et égratigna tout le côté de la voiture. Il se sentit très mal et, pendant un instant, il pensa à s'enfuir. La seule pensée d'affronter son père le rendait malade. Il ne savait pas ce qu'il devait craindre le plus: la colère de son père ou sa déception. Peu importe, il se devait de retourner à la maison et d'annoncer la nouvelle à son père. Il conduisit donc jusque chez lui et gara la Cadillac. La gorge serrée et la tête basse, il alla d'un air sombre voir son père.

Bob et son père sortirent de la maison pour constater l'étendue des dommages (et ils étaient considérables!). Bob raconte que son père et lui restèrent là pendant ce qui sembla une éternité. Son père ne disait rien. Finalement, Bob le regarda et lui demanda d'une voix tremblante: «Papa, qu'est-ce que tu veux que je fasse?»

Lentement, le père sortit son portefeuille de sa poche et en extirpa deux dollars. Il tendit l'argent à son fils et le regarda droit dans les yeux: «Fiston, je crois que tu devrais retourner à la station et mettre encore un peu d'essence.»

Cari Morrison

Ce n'est pas mon beau-père!

Ma mère est morte lorsque j'avais huit ans. Tout le monde eut beaucoup de chagrin. Six mois plus tard, mon père rencontra Cathy. Elle avait deux enfants, Megan et Griffin. Je les aimai dès la première fois que je les vis.

Un an et demi plus tard, mon père épousa Cathy. Ils étaient très amoureux l'un de l'autre. À leur mariage, je me rendis compte à quel point j'aimais Megan et Griffin. À partir de ce moment-là et jusqu'à ce que nous trouvions une maison assez grande pour loger notre nouvelle famille, nous passâmes autant de temps chez nous que chez Cathy, occupés à fusionner les deux familles. Un soir que nous étions chez Cathy, nous faisions la file pour l'embrasser. Griffin était le dernier de la file. Lorsqu'il eut embrassé Cathy, celle-ci lui dit: «Grif, embrasse ton beau-père.»

Et Griffin, rouge de colère, lui répondit: «Ce n'est pas mon beau-père! C'est mon papa!»

Jayne Kelley

Une pierre deux coups

«Où est Jamie?», cria ma cousine Lee Ann. «Oh mon Dieu! Où est Jamie?», songeai-je lorsque j'entendis Lee Ann. J'étais dans la piscine, en visite chez mes parents. En me demandant où était mon fils de cinq ans, mon corps fut traversé d'une sorte de choc électrique.

Tout autour de la piscine de mes parents, il y a une bordure de protection et la partie la plus creuse a environ 1 mètre et demi de profondeur. Nous avons l'habitude de laisser les enfants jouer tout l'après-midi dans la piscine pendant que nous restons à côté à nous faire éclabousser d'eau et de cris de joie.

Cet après-midi-là, lorsque Lee Ann cria, il m'apparut évident que Jamie avait marché près de la bordure de protection et glissé dans la partie profonde de la piscine. Nous avions tourné la tête à peine une seconde et il n'était plus là! Je le repérai tout de suite sous l'eau et le ramenai à la surface.

Alors que je m'apprêtais à le sortir de la piscine, il criait et se débattait, effrayé et en larmes. Il hurlait qu'il voulait sortir. Si j'avais écouté ma culpabilité, je l'aurais sorti de l'eau comme il me le demandait, mais mon instinct paternel me fit sentir qu'il valait mieux rester dans l'eau avec lui.

Nous tremblions tous les deux pendant que je lui parlais et le rassurais. Je lui disais que l'eau pouvait être dangereuse et qu'il ne fallait jamais l'oublier. Le serrant fort contre moi, je lui fis faire le tour de la piscine, toujours dans l'eau. Après quelques minutes, il me dit qu'il n'avait plus peur et qu'il voulait retourner jouer dans l'eau avec les autres.

Je me sentais coupable d'avoir été un si mauvais père. «Un bon père ne laisse pas son fils passer près de se noyer», me disais-je. À ce moment, alors que je pataugeais allègrement dans l'apitoiement sur moi-même, Lee Ann vint vers moi et me dit: «T'es un père formidable! J'admire la façon dont tu as pris en main la situation. Jamie n'aura jamais plus peur de l'eau!»

Ce jour-là, Lee Ann a sauvé deux vies. Elle a sauvé la vie de mon fils quand elle a crié «Où est Jamie?» et elle a sauvé ma vie de père! Grâce à ses paroles, elle a changé en fierté le désappointement que j'avais

ressenti à mon propre égard. C'est éton-
nant ce qui peut se produire lorsqu'on se
regarde à travers les yeux de quelqu'un
d'autre...

Barry Spilchuk

*Les honneurs les plus durables
sont ceux que te fait ta famille.*

O. A. Battista

À mon fils devenu grand

Mes mains étaient occupées à longueur de
   journée,
Je n'avais pas le temps de m'amuser avec
   toi;
Tu me demandais souvent: «Maman, joue
   avec moi»,
Il ne me restait guère de temps à te
   consacrer.

Je lavais tes vêtements, je cousais, je
   cuisinais,
Et lorsque tu m'apportais ton beau livre
   d'histoires,
En espérant le regarder un peu avant le
   soir,
«Peut-être plus tard, mon garçon», que je te
   répondais.

Je te bordais toujours dans ton lit la nuit
   venue;
J'écoutais toutes tes prières et j'éteignais la
   lampe
Avant de refermer doucement la porte de ta
   chambre.
Comme je regrette de n'être pas restée un
   peu plus.

Car la vie est courte et les années filent à
jamais;
Un petit garçon grandit si rapidement,
vous savez.
Quelques années et il n'est bientôt plus à
vos côtés,
Prêt à vous confier ses joies, ses peines et
ses secrets.

Ton beau livre d'histoires est rangé depuis
longtemps;
Il n'y a plus de jeux à partager, plus de
bruit,
Plus de prières, plus de bisous avant la
nuit.
Tout cela appartient à notre passé
maintenant.

Mes mains, naguère si occupées, ne servent
plus désormais;
Les journées se font longues et difficiles à
remplir.
Comme j'aimerais pouvoir fermer les yeux
et revenir
À ces jeux auxquels, petit garçon, tu me
conviais.

Auteur inconnu

Vous possédez peut-être
beaucoup de biens
— voitures, bateaux, maisons —
mais le plus bel héritage
que vous puissiez laisser
à vos enfants,
c'est d'être un modèle pour eux.

Barry Spilchuk

– Je travaille trop.
Mon épouse me manque.
Mes enfants trouvent
que je suis un pauvre type.

– Hé! Réveille-toi!
Personne ne dit sur son lit de mort
qu'il aurait dû consacrer
plus de temps à son travail!

Barry Spilchuk

3

VAINCRE L'ADVERSITÉ

*C'est plutôt amusant
de faire l'impossible!*

Walt Disney

Une ambition aveugle

Charlie Boswell a toujours été un de mes héros. Il fut pour moi et des milliers d'autres personnes une source d'inspiration en nous incitant à surmonter l'adversité et à vivre pleinement notre passion. Charlie perdit la vue durant la Seconde Guerre mondiale, en secourant un de ses amis d'un char d'assaut en feu. Avant son accident, il était un grand athlète. Talentueux et résolu comme il était, il décida par la suite de s'adonner à un sport qu'il n'avait jamais pratiqué, un sport qu'il n'aurait pas imaginé essayer, même quand ses yeux voyaient: le golf!

Grâce à sa détermination et à sa passion pour ce sport, il devint champion national au golf pour aveugles. Il remporta cet honneur 13 fois. Un de ses héros était le grand golfeur Ben Hogan. Ce fut donc un grand honneur pour Charlie de gagner le prix Ben Hogan en 1958.

Lorsqu'il rencontra Ben Hogan, Charlie fut très impressionné. Il affirma que son désir le plus cher était de jouer une partie de golf avec le célèbre Ben Hogan.

M. Hogan répondit qu'une partie de golf avec Charlie serait également un honneur pour lui, car il avait entendu parler de toutes les prouesses de Charlie et admirait réellement son talent.

«Aimeriez-vous jouer pour de l'argent, M. Hogan?», demanda Charlie.

«Je ne pourrais jamais jouer contre vous pour de l'argent; ce ne serait pas juste!», répondit M. Hogan.

«Allez, M. Hogan! 1000 $ le trou!», rétorqua Charlie.

«Mais non, voyons, je ne peux pas! Qu'est-ce que les gens diront de moi? Que je profite de vous et de votre état!», répliqua le golfeur dont la vue était excellente.

«Vous avez peur, M. Hogan?»

«D'accord, finit par répondre Hogan, un peu vexé, mais je vous préviens que je vais jouer de mon mieux!»

«Je ne m'attends pas à autre chose», dit Charlie d'un ton plein d'assurance.

«Alors d'accord, à vous de décider l'heure et l'endroit!»

Charlie, confiant comme jamais, répondit: «22 heures... *ce soir*!»

John Kanary

Le pot de confiture

Nous étions en 1933. Je venais d'être mis à pied du poste à temps partiel que j'occupais, et je ne pouvais donc plus aider la famille financièrement. Notre seul revenu provenait de ce que ma mère pouvait gagner en confectionnant des vêtements pour les autres. Malheureusement, ma mère tomba bientôt malade et fut incapable de travailler pendant quelques semaines.

Un jour, la compagnie d'électricité coupa le courant parce que nous n'étions plus en mesure de payer nos factures. Puis, ce fut au tour de la compagnie de gaz. Ensuite, c'est l'eau qui fut coupée. Les services de santé obligèrent toutefois la municipalité à nous redonner l'eau pour des raisons sanitaires. Le garde-manger se vidait dangereusement. Heureusement, nous avions un potager grâce auquel nous pouvions cuire quelques légumes sur un feu de camp dans la cour arrière.

Un jour, ma jeune sœur revint de l'école en disant: «Demain, nous devons apporter quelque chose à l'école pour donner aux pauvres.»

Ma mère commença d'abord par dire: «Je ne connais personne de plus pauvre que nous», mais sa mère, qui vivait avec nous à l'époque, l'interrompit en posant sa main sur son bras, les sourcils froncés.

«Eva, dit-elle, si tu inculques à une enfant de cet âge l'idée qu'elle est pauvre, elle sera pauvre pour le restant de ses jours. Il reste un pot de confiture maison dans le garde-manger. Elle peut le prendre.»

Ma grand-mère dénicha ensuite du papier de soie et un petit bout de ruban rose qu'elle utilisa pour envelopper notre dernier pot de confiture. Le lendemain, ma sœur partit à l'école en trottinant, fière d'apporter un «cadeau pour les pauvres».

Par la suite, chaque fois qu'il y avait un problème dans le quartier, il était tout naturel pour elle de penser qu'elle faisait partie de la solution.

Edgar Bledsoe

Rien ne peut arrêter cet homme

À l'âge de cinq ans, Glenn Cunningham subit des brûlures graves aux jambes. Les médecins se montraient pessimistes et disaient que Glenn serait infirme et confiné au fauteuil roulant pour le reste de sa vie.

«Il ne pourra plus jamais marcher», dirent-ils. «Il n'y a aucun espoir.»

Les médecins avaient examiné les jambes de Glenn, mais ils n'avaient certainement pas vu ce qu'il avait dans le ventre. En effet, Glenn n'écouta pas les médecins et décida qu'il remarcherait. Étendu dans son lit, les jambes rouges, amaigries et couvertes de cicatrices, Glenn se fit une promesse:

«La semaine prochaine, je vais sortir du lit. Je vais marcher.» Et c'est ce qu'il fit.

Sa mère raconte qu'elle avait l'habitude de regarder par la fenêtre et d'observer son fils s'appuyer sur une vieille charrue dans la cour. Une main sur chaque poignée, il réussit d'abord à rendre fonctionnelles ses jambes tordues et noueuses. Puis, pas à pas, malgré la douleur, il fut de plus en plus capable de marcher. Bientôt, il commença à trotter, puis à courir. Et lorsqu'il fut capable de courir, il devint encore plus déterminé.

«J'ai toujours cru que je pourrais remarcher, et c'est ce que j'ai fait. Maintenant, je vais courir vite comme jamais personne n'a couru.» Et c'est ce qu'il fit.

Il devint un grand coureur qui, en 1934, battit le record mondial du mille (1 609 m) en 4 min 6 s. Il fut nommé athlète du siècle au Madison Square Garden.

Jeff Yalden

*Vous serez peut-être déçu
si vous échouez,
mais vous serez voué à l'échec
si vous n'essayez pas.*

Beverly Sills

Guide de survie

Il y a quelques années, je me suis retrouvé loin de chez moi dans une minuscule cellule de prison. En tant que prisonnier de guerre, j'ai été torturé, humilié, privé de nourriture et laissé à moi-même dans des conditions sordides pendant six ans.

Il est important que vous puissiez vous faire une idée concrète de ce que j'ai vécu. Essayez de sentir la puanteur du seau que j'appelais ma toilette. Essayez de goûter le sel que mes larmes, ma sueur et mon sang laissaient sur mes lèvres. Essayez de supporter la chaleur suffocante qu'il faisait dans ma cellule au toit de tôle.

L'important n'est pas que vous soyez prisonnier de guerre, car vous ne le serez jamais. L'important, c'est que je réussisse à bien me faire comprendre pendant ces quelques moments que vous et moi passons ensemble, car vous verrez que les difficultés qu'on peut rencontrer lorsqu'on est adolescent, étudiant, leader ou parent sont à peu près pareilles à celles que j'ai rencontrées dans ma cellule de prison: la peur, la solitude, le sentiment d'échec et l'absence de communication. Mais plus important encore, votre réaction à ces difficultés sera pareille à celle que j'ai dû avoir en prison pour tout simplement survivre.

Quelles qualités possédez-vous qui vous permettraient de survivre dans un camp de prisonniers? Je vous prie de prendre le temps de faire une pause ici, de réfléchir à cette question et d'écrire dans la marge de cette page au moins cinq qualités qui sont nécessaires à la survie.

Si vous avez écrit la foi, l'engagement et la détermination, vous commencez à comprendre.

En me voyant survivre aux premiers mois de mon emprisonnement, puis aux années qui ont suivi, j'ai découvert que j'avais déjà en moi les outils de survie nécessaires, acquis auprès de mes parents, de mes enseignants et des différents prêtres et leaders que j'avais connus. En fait, les techniques de survie que j'ai utilisées en prison provenaient davantage de mon système de valeurs, de mon intégrité et de ma foi que de tout ce que j'avais pu apprendre dans un manuel.

Faites-vous le lien avec votre propre expérience? Les obstacles que vous rencontrez dans votre vie peuvent être tout aussi démoralisants que les six ans que j'ai passés dans un camp de prisonniers.

Maintenant, voici un petit test pour vous. La prochaine fois que vous aurez un gros problème, ouvrez ce livre à cette page et lisez ce que *vous* avez écrit dans la marge. Vous verrez que les qualités que vous avez notées comme indispensables à la survie dans un camp de prisonniers vous seront tout aussi utiles dans votre vie de tous les jours.

Charlie Plumb

*Les gens comblés sont
ceux qui savent apprécier
les petites choses.*

Frank Clark

*L'amitié véritable est
le plus grand bonheur qui soit;
et pourtant, c'est celui
qui nous arrive
sans qu'on ait à y penser.*

François, duc de La Rochefoucauld

*Si on m'accordait le souhait
que ma vie soit parfaite,
ce serait tentant mais je refuserais,
car la vie ne pourrait plus
rien m'enseigner.*

Allyson Jones
Proposée par Kelly Javens

Ma mascotte

Un jour, les aides-infirmières d'un homme de 89 ans préparèrent une fête surprise pour lui. Lui, c'était un médecin actif et alerte qui était à la retraite et dont on avait amputé une jambe deux ans auparavant. Il avait trouvé difficile de s'habituer à vivre avec seulement une jambe, confiné dans un fauteuil roulant la plupart du temps.

Le jour de la fête, la famille, les amis et les bénévoles arrivèrent dans la salle gaiement décorée. L'homme de 89 ans regarda tous ces gens et fit signe à une fillette de six ans (la petite-fille d'une des aides-infirmières) de venir le voir. Il se pencha, mit ses bras autour d'elle et la présenta à tout le monde: «Voici ma mascotte!»

Il expliqua alors aux gens rassemblés qu'il n'oublierait jamais la première fois qu'il avait rencontré cette fillette. Elle était entrée, l'avait regardé, avait vu sa jambe de pantalon repliée sous ses fesses dans le fauteuil roulant et, de sa voix charmante, lui avait demandé: «Où est votre prothèse?» L'homme avait été étonné de voir qu'elle connaissait ce mot. Elle lui avait alors montré sa propre prothèse et lui avait raconté son histoire: lorsqu'elle avait trois ans, un homme était entré chez elle par effraction, avait tué son frère de 17 mois et, avec une machette, lui avait sectionné la jambe.

L'homme expliqua ensuite que cette petite fille lui avait appris à ne pas s'apitoyer sur son sort et à être reconnaissant d'avoir eu ses deux jambes pendant 87 ans. Un lien très spécial unit cet homme et cette fillette. Elle se sent fière d'avoir pu aider un très vieil homme. Lui, il sourit avec admiration quand il la voit trotter avec joie et énergie sur cette prothèse qui repousse tous les obstacles sur son chemin.

Hedy J. Dalin

N'oubliez pas
que chacun de nous trébuche.
Voilà pourquoi il est si réconfortant
de marcher main dans la main.

Emily Kimbrough

Le courage sur demande

À l'été de 1991, mon mari et moi étions en vacances en Irlande. En bons touristes américains, nous visitâmes le château Blarney. Et, bien entendu, lorsqu'on visite le château Blarney, on doit aussi embrasser la statue de Blarney. Or, pour se rendre à la statue de Blarney, il faut monter plusieurs escaliers très étroits. Comme j'ai toujours eu peur des hauteurs et que je suis très claustrophobe, je demandai à mon mari d'y aller sans moi et de me dire ensuite si je serais capable de le faire.

Lorsque mon mari revint, je lui demandai: «Alors? Qu'en penses-tu? Crois-tu que je suis capable de monter?» Avant même qu'il puisse répondre, deux vieilles dames frêles s'approchèrent et me dirent: «Ma chère, si nous sommes capables de le faire, *vous* l'êtes aussi!» J'allai donc embrasser la statue de Blarney.

Environ un mois après notre retour d'Irlande, on m'annonça que j'avais un cancer du sein et que j'allais avoir besoin de radiothérapie et de chimiothérapie. Mon médecin fut obligé de m'indiquer tous les effets possibles de la chimiothérapie: je pouvais perdre mes cheveux, avoir des nausées violentes et des diarrhées graves, devenir très fiévreuse, avoir la mâchoire bloquée, et ainsi de suite. Puis il me demanda: «Êtes-vous prête à commencer le traitement?» Et comment! Il m'avait si bien préparée!

Peu après, alors que mon mari et moi étions assis dans la salle d'attente en vue de mon traitement, je me sentis très anxieuse. Je me tournai vers mon mari et lui demandai: «Crois-tu que j'en suis capable?» Devant nous, deux vieilles dames frêles venaient tout juste de terminer leur traitement de chimiothérapie! Mon mari me prit alors la main en disant: «Ma chérie, ce sera comme au château de Blarney; si elles sont capables de le faire, *tu* es capable aussi!» *Et je l'ai fait!*

Savez-vous ce qu'il y a de formidable avec le courage? Il se pointe toujours quand vous en avez besoin!

Maureen Corral

Un obstacle sur la route

Il y a très longtemps, un roi fit placer un gros rocher sur une route. Puis, il se cacha et attendit pour voir si quelqu'un enlèverait l'énorme rocher.

Quelques-uns des marchands et courtisans les plus riches du royaume passèrent par là et firent tout simplement le tour du rocher. Plusieurs d'entre eux en profitèrent pour accuser le roi de négliger les routes, mais aucun ne fit quoi que ce soit pour enlever le rocher du chemin.

Puis, un paysan passa par là avec une grosse caisse de légumes. En approchant du rocher, le paysan déposa son fardeau et essaya de pousser le rocher vers le fossé. Après beaucoup d'efforts, il finit par réussir.

Lorsqu'il se pencha pour reprendre sa caisse de légumes, il aperçut une bourse par terre, à l'endroit même où était le rocher. La bourse contenait plusieurs pièces d'or et une note écrite par le roi, dans laquelle il disait que l'or appartenait à la personne qui avait enlevé le rocher.

Le paysan venait d'apprendre ce que beaucoup de gens ne comprennent jamais: chaque obstacle nous donne l'occasion d'améliorer notre sort.

Brian Cavanaugh

*Quand vous avez
une décision à prendre,
prenez-la.
Quand vous avez un choix à faire,
faites-le.
Si vous vous contentez
de rester assis entre deux chaises,
vous serez inconfortable parce que
vous ne gagnerez ni ne perdrez!*

Barry Spilchuk

4

LES SOUVENIRS

*La mort n'est pas la perte
la plus tragique dans la vie.
La perte la plus tragique,
c'est ce qui meurt en nous
alors que nous sommes
encore vivants.*

Norman Cousins

Comme je l'ai aimée !

Ce jour-là, un pasteur célébrait les funérailles d'une femme de 50 ans. Soudain, l'époux de cette femme, un homme de 78 ans, se mit à crier avec un accent prononcé: «Oh, oh, oh, comme je l'ai aimée!» Son gémissement éploré interrompit le digne silence de la cérémonie. Les membres de la famille et les amis, debout autour du cercueil, prirent un air embarrassé et surpris. Les enfants de l'homme eurent honte et essayèrent de le faire taire: «Ça va aller, papa; nous comprenons. Chut...»

Le vieil homme regardait fixement le cercueil descendre lentement dans la terre. Le pasteur continua. Lorsqu'il eut terminé, il invita la famille à jeter une poignée de terre sur la tombe pour marquer la finalité de la mort. Tous les membres de la famille s'exécutèrent, sauf le vieil homme. «Oh, comme je l'ai *aimée*!», se lamentait-il d'une voix forte. Sa fille et ses deux fils essayèrent à nouveau de le maîtriser, mais il continuait: «Je l'ai aimée!»

Peu après, lorsque les gens commencèrent à partir, le vieil homme refusa obstinément de quitter les lieux. Il restait là à regarder la tombe. Le pasteur s'approcha. «Je sais ce que vous ressentez, mais il est l'heure de partir. Nous devons tous partir et continuer à vivre.»

«Oh, comme je l'ai aimée!», répéta le vieil homme d'une voix misérable. «Vous ne comprenez pas, dit-il au pasteur, j'ai *failli* le lui dire une fois.»

Hanoch McCarty

La plus grande faiblesse
de la plupart des êtres humains,
c'est qu'ils hésitent à dire aux autres
combien ils les aiment
pendant que ceux-ci
sont encore vivants.

O.A. Battista

Le livre de Marc

Il y a 15 ans, Judy et Jim perdirent leur fils Marc. Comme beaucoup de parents, Jim et Judy avaient toujours été convaincus que leurs deux enfants allaient leur survivre. Pourtant, un jour, Marc mourut subitement d'une maladie très rare.

Étant donné que Marc n'eut aucun symptôme avant de mourir, Judy et Jim ne purent jamais lui faire leurs adieux et lui dire combien ils l'aimaient. Ils furent complètement démolis par la perte de leur fils.

Longtemps après, Judy et Jim prirent des vacances aux Bermudes. Ils y virent une splendide statue de bronze que tous les deux adorèrent. La statue représentait un petit garçon qui lisait un livre, assis sur un banc. Jim et Judy étaient charmés par le bronze et auraient beaucoup aimé l'acheter, mais il coûtait beaucoup trop cher pour leurs moyens. Jim prit tout de même la peine de noter le nom et l'adresse de l'artiste qui l'avait réalisée.

Plusieurs années plus tard, Jim voulut acheter la statue pour faire une surprise à Judy, qui allait célébrer son 50ᵉ anniversaire de naissance. Il contacta donc le studio de l'artiste, mais la réceptionniste lui expliqua qu'il existait seulement dix exemplaires du bronze comme celui-là à travers le monde. La seule façon de pouvoir s'en procurer un était de demander à l'artiste de se départir de son propre original.

L'artiste rappela lui-même Jim et lui annonça d'un ton désolé que son épouse ne voudrait jamais se départir de sa statue. Il promit toutefois à Jim de contacter quelques-uns des autres propriétaires pour voir s'ils voulaient lui vendre leur statue. Finalement, il trouva en Angleterre une femme qui se montra disposée à vendre son bronze à Jim.

Le jour du 50e anniversaire de son épouse, Jim lui offrit la statue qu'ils avaient tant aimée plusieurs années auparavant. Judy fut agréablement surprise.

Lorsqu'ils s'assirent pour contempler le bronze, Jim et Judy remarquèrent une chose qu'ils n'avaient pas remarquée la première fois. En regardant de plus près le livre que le petit garçon lisait, ils virent que la couverture portait les mots suivants: «Livre de Marc». Le nom «Marc» était écrit de la même façon que le nom de leur fils.

Alors que Judy et Jim croyaient leur fils parti à jamais, Marc venait redire son amour à l'occasion des 50 ans de sa mère. Le lien physique qui nous unit à nos enfants est temporaire. Le lien d'amour, lui, est éternel.

Denise Sasaki

Joyeux Noël, Jennifer

Bonjour, ma chérie. Noël ne sera pas pareil cette année sans toi, mais nous essaierons de surmonter notre chagrin en nous remémorant les 19 années que nous avons passées auprès de toi.

Tout ce que je veux pour Noël, c'est de t'avoir à nouveau avec nous. Malheureusement, sachant que c'est impossible, je vais me contenter de t'écrire cette lettre; Dieu, je l'espère, te la remettra en mains propres pour le jour de Noël.

Tu m'as manqué lorsque j'ai fait les emplettes de Noël, toi qui savais toujours m'aider à choisir des présents qui plaisaient à ta mère. Je me suis bien débrouillé, en fin de compte; j'imagine que tu m'as aidé. Ta mère sera ravie du présent que tu lui enverras du paradis! Sarah aussi!

Ta mère a préparé beaucoup de pâtisseries cette semaine: des gâteaux, des carrés aux dattes, etc. Tu es étonnée, n'est-ce pas?

Cette année, à Noël, la réunion de famille aura lieu chez ton oncle Steve. Nous ne savons pas comment nous nous sentirons, mais disons que nous traverserons la rivière lorsque nous serons rendus au pont.

Sarah va bien. Elle fréquente encore Brian (cela l'a vraiment aidée). Nous savons que ta présence lui manque beaucoup, surtout le soir parce que vous aviez l'habitude de bavarder ensemble pendant des heures. Tes conseils, autant que vos prises de bec, lui manquent!

Je dois aller au cimetière demain pour pelleter un mètre de neige, au cas où un membre de la famille viendrait se recueillir sur ta tombe. Nous avons décoré ta pierre tombale; nous y avons installé un oiseau rouge et blanc ainsi que quelques cloches que tu entendras lorsque le vent soufflera. C'est très joli.

Nous savons que tu manques à Patrick et que Patrick te manque. Navré de ne pas m'être montré plus positif à l'égard de vos fréquentations. Je le regretterai jusqu'à ce que je puisse te demander pardon en personne.

C'est dommage que tu n'aies jamais pu essayer Internet, Jenny. Tu aurais adoré ça! J'y ai fait la connaissance de gens formidables, des familles qui ont elles aussi perdu un enfant. Elles m'ont énormément aidé à surmonter ta mort. La plupart du temps, leur soutien est mon seul baume, à part la présence de ta mère. La perte d'un enfant est la douleur la plus accablante qu'un parent puisse éprouver; la possibilité de correspondre avec des gens qui vivent un deuil semblable m'est donc d'un grand secours.

Jennifer, *tu nous manqueras toujours*. Nous ne cesserons jamais de t'aimer. Nous ne t'oublierons jamais!

Avec amour,
Sarah, maman et papa Furrow

La sagesse d'une enfant

J'avais 16 ans lorsque je tombai amoureuse de Bob. Deux ans plus tard, nous nous mariâmes comme dans un véritable conte de fée. Par la suite, pas un jour ne passa sans que nous exprimions notre amour à l'autre ou à nos trois beaux enfants.

Chaque nuit, avant de nous endormir, nous faisions des plans pour l'avenir. Puis Bob fut atteint de leucémie. Après s'être battu pendant 18 mois contre la maladie, il mourut à l'âge de 42 ans. Ce jour-là, j'eus le sentiment de mourir moi aussi.

Le soir de son décès, des amis vinrent me réconforter. Pendant que je m'obligeais à manger un peu, la fille de six ans d'un des grands amis de mon mari me demanda: «Madame Alice, allez-vous vous trouver un autre mari?»

«Hailey!», gronda quelqu'un pour faire taire l'enfant. En regardant la petite fille dans les yeux, toutefois, je vis bien qu'elle voulait seulement que je sois de nouveau heureuse.

«Lorsqu'une femme a déjà eu le meilleur mari du monde», lui dis-je en soupirant, «elle n'en veut pas d'autre.»

Trois ans plus tard, cependant, je dus admettre à Hailey qu'il y avait deux «meilleurs» maris dans le monde, car j'épousai son père, Mark, qui fit renaître la joie dans mon existence.

Hailey a 15 ans maintenant, et nous sourions encore lorsque nous repensons à son innocente question, une sage question qui me permit de me rappeler que la vie a toujours une merveilleuse façon de continuer.

Alice Cravens Moore
Extrait de Woman's World

Les enfants réinventent le monde
pour nous.

Susan Sarandon

Rappel à l'ordre

Le 24 décembre, soir des funérailles de mon père, mes frères et sœurs et moi nous rassemblâmes dans la maison de notre enfance pour décider de l'endroit où ma mère allait vivre désormais. Mon père laissait derrière lui cinq enfants et ma mère, qui fut l'amour de sa vie pendant 54 ans. Depuis quelque temps, ma mère était à peine capable de marcher ou de se débrouiller seule, et mon père avait été son soutien dévoué avant de mourir. Elle ne pouvait pas vivre seule.

Nous commençâmes à discuter et, pendant que ma mère nous écoutait, la discussion tourna rapidement au vinaigre. Comme nos esprits étaient encore obnubilés par la mort de papa et que nos rapports se trouvaient soudainement marqués par cette perte, notre discussion s'en ressentait: plutôt que de parler de la qualité des soins dont maman avait besoin, nous nous mîmes à discuter de ce que cela allait coûter. Pendant que nous continuions à nous disputer, notre souffrance se ravivait et se doublait de la peur de se perdre les uns les autres. Ma mère nous écouta avec ahurissement. On aurait dit que la famille avait disparu en même temps que mon père.

Au plus fort de la discussion, nous entendîmes un chant de Noël suivi d'un coup frappé à la porte. Mon frère alla ouvrir. Heureux de ce répit, nous nous levâmes tous pour aller voir qui c'était. Éparpillés sur la pelouse et le perron se trouvaient plusieurs chanteurs, dirigés par le prêtre qui avait enterré papa le même jour. Il était aussi surpris de nous voir que nous l'étions de le voir. Il ne savait pas que c'était la maison de mes parents.

Nous restâmes cloués sur place pendant la chanson «Paix sur terre», puis nous refermâmes la porte. Mon frère aîné, encore sous le choc, murmura: «C'est papa qui les a envoyés. Il veut nous rappeler de nous conduire correctement et de prendre soin de maman.»

Ces mots trouvèrent sûrement un écho en nous, car nos disputes cessèrent et, quelques heures plus tard, nous prîmes une décision. Notre mère allait emménager chez un de mes frères. La maison de notre enfance fut fermée et vidée, mais notre famille resta unie.

Marilyn L. Teplitz

Mon héros à moi

Oncle Gordyn avait toujours été mon héros à moi. Lorsque j'avais six ans, il avait nettoyé la boue sur mes chaussures pour s'assurer que je ne me ferais pas gronder. Pendant ma première année à l'université, maman et moi nous disputions constamment car elle voulait que je porte pour aller à mes cours des bas de nylon trop grands et parcourus de coutures apparentes. Ces disputes cessèrent pour de bon lorsque mon oncle se rangea de mon côté. Et lorsque mes parents achetèrent une voiture à mon frère mais pas à moi, il corrigea également cette injustice.

Toutefois, ce que j'aimais le plus en lui, c'était sa façon de me faire sentir unique au monde.

Lorsque mes parents préparèrent leur 50ᵉ anniversaire de mariage, il annonça qu'il ne pourrait pas y assister. Cela faisait déjà vingt ans que lui et ma tante avaient divorcé, mais mon oncle ne pouvait pas supporter la pensée d'affronter toute la famille et leur désapprobation. Même s'il répondait toujours non, ma mère continua de lui demander s'il viendrait. À un moment donné, mon oncle la pria de ne *plus* lui demander.

Finalement, il se pointa à la fête. Je lui racontai qu'à chaque fois que je téléphonais à maman, je lui demandais si oncle Gordyn allait venir. «Je sais, ma chérie», me répondit-il, «c'est pour cela que je suis venu.» J'étais sa petite princesse pour toujours.

Lorsqu'il mourut, je pensai que j'étais triste parce que je ne passerais plus jamais Noël en sa compagnie. Mais, je ne sais trop pourquoi, mon chagrin se résumait à plus que cela. Au plus profond de moi-même, je me rendis compte d'une chose: l'adulte que j'étais avait beaucoup d'amis qui l'aimaient et l'acceptaient, mais l'enfant de six ans en moi, qui s'était sentie rejetée et mal aimée, n'avait plus personne qui la considérait comme une princesse. Or, j'avais désespérément besoin de cela.

Une nuit, je rêvai qu'oncle Gordyn balançait dans ses bras la petite fille que j'avais été à six ans. «Je l'ai fait pour deux», disait-il à l'adulte que j'étais. «Maintenant, c'est à ton tour.» Je lui répondis que je ne comprenais pas. «Pendant toutes ces années où tu ne t'aimais pas, m'expliqua-t-il, je t'ai aimée pour deux. Maintenant, c'est à ton tour.» Et dans mon cœur, j'étreignis l'enfant de six ans et lui murmurai: «Tu es ma petite princesse.» Elle eut alors un regard que j'avais déjà vu; c'était le regard qu'une petite fille a pour son héros à elle.

Nancy Richard-Guilford

Frangin

Je le surnommais Frangin; c'était mon grand frère. Nous étions extrêmement différents, toujours à couteaux tirés, mais nous partagions aussi beaucoup de choses qui contribuèrent à créer un lien inaltérable entre nous. Par exemple, nous avions tous les deux la même attitude à l'égard de nous-mêmes: rien de ce que nous faisions n'était suffisant, peu importe nos efforts.

Tous ceux qui connaissaient Frangin l'adoraient. Il avait le cœur sur la main et de l'estime pour tout le monde... sauf pour lui-même.

Frangin enseigna à des centaines d'enfants, des enfants que la société avait étiquetés comme stupides, paresseux, indisciplinés ou mentalement retardés. Mon frère voyait en eux un potentiel: la capacité de contribuer à la société. Lui-même avait des difficultés d'apprentissage; c'était son secret. Ensemble, lui et ses élèves savaient ce que c'était que d'être différents dans un monde qui ne prenait pas la peine de comprendre.

Au cours de la dernière année de sa vie, Frangin eut un autre défi à relever: son refus absolu de se croire digne d'amour. Frangin représentait un phare pour tous ceux qui croisaient sa route; tout le monde le savait, sauf lui-même.

Moi, j'étais déterminée à lui prouver qu'il était digne d'amour. Alors que le cancer ravageait son corps pour la sixième et dernière fois, il me permit enfin de pénétrer dans son monde de souffrance et de confusion.

Au cours des dernières semaines de sa vie, il lui restait seulement 40 des 80 kilos qu'il pesait auparavant. Trop affaibli, ses yeux ne clignaient plus et sa voix se limitait à un chuchotement. Tout ce que je pouvais faire, c'était le serrer dans mes bras et l'aimer. Tout ce qu'il pouvait faire, c'était accepter mon amour.

Frangin devait se laisser soigner 24 heures sur 24 et il en vint à aimer cela. Lorsqu'il était trop faible pour parler, il tapait des doigts pour me faire signe de lui tenir la main.

Mon frère apprenait enfin à demander de l'amour et à en recevoir. Toutes ces années à se disputer, à ne pas se comprendre et à croire l'autre inaccessible avaient disparu. À la fin de sa vie, il s'abandonna entièrement à la sagesse d'une puissance supérieure, celle qui aide à comprendre l'étrange notion de l'amour de soi.

Lors d'une de nos dernières conversations, il me murmura tel un secret: «On m'aime réellement, n'est-ce pas?» C'était la seule chose qui manquait à sa vie. Il se rendait enfin compte qu'il avait le droit d'être aimé.

Paula Petrovic

La carte de visite

Mon frère, Dave, fut toujours proche de notre grand-mère. Tous deux, ils aimaient la nature et avaient une passion pour tout ce qu'ils pouvaient faire pousser dans un potager. Dès que son emploi du temps le lui permettait, Dave allait faire une petite visite à grand-mère et prendre une tasse de café. Un jour, il ne trouva personne chez elle et laissa une motte de terre sur son perron. Cette motte de terre devint sa «carte de visite». Parfois, grand-mère revenait chez elle et dès qu'elle apercevait la motte de terre sur son perron, elle savait immédiatement que Dave était venu.

Grand-mère avait été élevée dans la pauvreté en Italie, mais elle avait réussi à bien se débrouiller en Amérique. Autonome et toujours en bonne santé, elle eut une bonne vie. Il y a quelques années, elle eut un accident vasculaire cérébral et mourut. Tout le monde fut chagriné par sa mort. Dave, lui, resta inconsolable. Son amie de toujours était partie.

Aux funérailles de grand-mère, Dave et moi faisions partie des petits-fils qui portaient son cercueil. Une fois arrivés au cimetière, le directeur des funérailles nous demanda de déposer sur le cercueil nos gants blancs ainsi que la rose que nous portions pour la cérémonie. L'un après l'autre, chaque petit-fils alla faire ses adieux à grand-mère.

Dave se trouvait devant moi dans la file. Lorsque vint son tour de s'approcher du cercueil, je le vis se pencher rapidement comme pour prendre quelque chose. Comme je ne pouvais pas voir ce que c'était, je n'y portai pas beaucoup attention. Lorsque vint mon tour de déposer mes gants et ma rose à côté de ceux de Dave, mes yeux se remplirent de larmes en voyant la motte de terre qui gisait sur le cercueil de grand-mère. Dave avait laissé sa carte de visite pour la dernière fois.

Steve Kendall

L'absence, comme la mort, scelle
l'image de ceux
que nous avons aimés.

Goldsmith

Mon père

Mon père m'avait donné beaucoup, et de toutes les manières possibles. Je voulais maintenant lui donner quelque chose. Pourquoi pas la médaille d'or que j'avais remportée au 100 mètres en 1984?

Voilà bien la seule chose que je pouvais lui offrir en mémoire de toutes les belles choses que nous avions faites ensemble, de toutes les choses positives qui m'étaient arrivées grâce à lui.

Je n'avais jamais sorti mes médailles du coffre de banque dans lequel je les conservais. Ce jour-là, toutefois, en route pour l'aéroport, j'arrêtai à la banque pour prendre la médaille et la mis dans la poche de mon veston. J'allais l'apporter au New Jersey pour mon père.

Le jour des funérailles de mon père, pendant que ma famille contemplait le corps du défunt, je sortis ma médaille et la déposai dans la main de papa. Ma mère me demanda si je voulais vraiment qu'on enterre ma médaille. Oui, je le voulais. Cette médaille allait pour toujours appartenir à mon père.

«Mais je vais en remporter une autre»,
dis-je à ma mère. Je me tournai vers mon
père et déclarai: «T'en fais pas. Je vais en
gagner une autre.» C'était une promesse
que je me faisais et que je faisais à papa.

Il était couché dans son cercueil, l'air
serein, les mains reposant sur sa poitrine.
Lorsque je glissai la médaille dans sa main,
je compris que c'était sa place.

Carl Lewis

Plus on donne, plus on reçoit.

Grace Speare

L'héritage

Lorsque mon mari, Bob, mourut subitement en janvier 1994, je reçus les condoléances de gens dont je n'avais pas entendu parler depuis des années: des lettres, des cartes, des fleurs, des appels, des visites. J'étais accablée de chagrin, mais je me sentis quelque peu apaisée par ce déversement d'amour que me prodiguaient la famille, les amis et des gens que je connaissais à peine.

Un des messages qu'on m'envoya me toucha profondément. Je reçus une lettre d'une femme qui avait été ma meilleure amie durant mon adolescence. Nous nous étions perdues de vue depuis la fin de nos études en 1949, car elle était restée dans notre ville natale alors que j'étais partie. Toutefois, c'était le genre d'amitié qui reprend instantanément même après cinq ou dix ans sans nouvelles.

Son époux, Pete, était mort environ 20 ans auparavant, alors qu'il était encore jeune, la laissant seule avec sa peine et de lourdes responsabilités: trouver un emploi et élever trois jeunes enfants. Pete et elle, comme Bob et moi, avaient vécu l'un de ces rares amours qui durent toute une vie et qu'on n'oublie jamais.

Dans la lettre qu'elle me fit parvenir après la mort de mon mari, elle me racontait une anecdote au sujet de ma mère (alors décédée depuis longtemps). Elle écrivait ceci: «Lorsque mon mari Pete est mort, ta chère mère m'a serrée dans ses bras et m'a dit: "Trudy, je ne sais pas quoi te dire... alors je te dis tout simplement que je t'aime."»

Elle terminait sa lettre en me répétant les mots que ma mère lui avait dits: «Bonnie, je ne sais pas quoi te dire... alors je te dis tout simplement que je t'aime.»

J'eus l'impression d'entendre ma mère me parler. Quel merveilleux message de sympathie! Comme c'était gentil de la part de mon amie d'avoir chéri ce message pendant des années pour ensuite me le transmettre. «Je t'aime.» Des mots parfaits. Un cadeau. Un héritage.

Bonnie J. Thomas

Le départ

À le regarder, on aurait pu croire que c'était un pauvre type; mais lorsqu'on le connaissait, on constatait que c'était vraiment quelqu'un de bien. Chaque jour, il se rendait au bureau du courtier de la Bourse à pied, ou plutôt en traînant les pieds, pour aller voir ses amis et surveiller les actions dans lesquelles il investissait.

Chaque après-midi, vers 14 h, Billy se pointait et nous apportait la gaieté. La casquette de travers, revêtu de son vieux pardessus usé quelle que soit la température, il portait un foulard en hiver et une chemise boutonnée en été. Il avait toujours un grand sourire (et les dents croches).

Billy était notre leader non officiel, notre porte-parole. Si Billy disait quelque chose, tout le monde le croyait. Une poignée de gars et moi, nous nous rassemblions chaque jour pour surveiller la Bourse. Nous attendions que Billy arrive et nous fasse part de sa sagesse habituelle. Avec son accent londonien et ses clins d'œil rassurants, il arrivait toujours à faire croire que tout allait bien, peu importe les sautes d'humeur du marché et le climat économique.

Puis, un jour, tout chavira. Notre Billy, notre ami de 80 ans, notre leader, avait le cancer!

Nous perdîmes tout intérêt dans ses investissements. Ce qui importait, maintenant, c'était Billy. Il dépérissait rapidement. Comme la seule famille qu'il lui restait était sa sœur aînée qui habitait en Angleterre, nous devînmes sa famille. Quelques-uns d'entre nous allaient à tour de rôle le voir à l'hôpital.

Garry, qui était l'ami de Billy et son conseiller financier, prit l'affaire en main. Il était presque toujours au chevet de Billy. Nous ne voulions pas que Billy soit seul.

Un soir, nous comprîmes que la fin approchait. J'offris de passer la nuit au chevet de Billy avec Garry, mais Garry me dit de retourner à la maison et de venir prendre la relève au matin.

Vers 5 h du matin, mon épouse et moi fûmes réveillés par des coups frappés à la porte. Je me levai pour voir qui c'était, mais il n'y avait personne. À 9 h, Garry téléphona pour dire que Billy était mort durant la nuit. «À quelle heure a-t-il fait ses adieux?», lui demandai-je.

«À 5 h du matin», répondit-il. J'étais sidéré. Voilà la seule façon d'expliquer ce coup frappé à notre porte à 5 h du matin: Billy était venu nous faire un dernier clin d'œil!

Barry Spilchuk

5

UNE QUESTION D'ATTITUDE

*Être heureux, ce n'est pas vivre
dans certaines conditions;
c'est cultiver certaines attitudes.*

Hugh Downs

Un soutien inconditionnel!

Notre ami H. Stephen Glenn est une des personnes les plus optimistes et les plus stimulantes qui nous ait été donné de rencontrer. Il nous incite toujours à chercher le côté positif des choses.

Dernièrement, Stephen assistait au match de "tee-ball" de son petit-fils. C'était au tour d'un petit garçon de frapper. Il frappa la balle et courut à toute vitesse jusqu'au troisième but. L'entraîneur s'approcha alors du garçon et lui dit: «Mon gars, cette balle a été frappée solidement.»

Le petit garçon répondit: «Vraiment?»

«Ouais, et tu as couru vraiment vite jusqu'au troisième but. Tu as pris tout le monde par surprise!»

«Vraiment?», répéta-t-il.

«Oui, vraiment. Mais j'ai une question à te poser avant que tu reviennes à l'abri pour regarder le reste de la manche», dit l'entraîneur au garçon. «Tu as décidé de courir vers le troisième but plutôt que vers le premier. Pourquoi?»

Le garçon répondit: «Eh bien, tous ceux qui ont couru jusqu'au premier but ont été retirés.»

L'entraîneur emmena le garçon jusqu'à l'abri pour lui parler. «Tu vois, tu as choisi de courir vers le troisième but et de prendre tout le monde par surprise. Tu as réussi, mais tu n'avais plus aucune chance de marquer un point. La prochaine fois, le même choix s'offrira à toi. Si tu choisis de courir vers le troisième but, tu seras probablement sauf, mais tu ne pourras toujours pas marquer un point. En revanche, si tu prends le risque de courir vers le premier but, tu seras peut-être retiré, mais si tu réussis, tu auras une chance de marquer. Quoi que tu décides, je veux que tu saches que nous sommes là, juste derrière toi.»

Jack Canfield
et Mark Victor Hansen

De grandes attentes

Je n'ai jamais rencontré Pete Rose, le célèbre joueur de baseball, mais celui-ci m'a enseigné une chose si précieuse qu'elle a transformé ma vie.

Cette année-là, Pete Rose était sur le point de fracasser le record de Ty Cobb pour le plus grand nombre de coups sûrs en carrière. À l'occasion d'une interview qu'il donna pendant le camp d'entraînement, un journaliste lui posa la question suivante:

«Pete, tu as besoin de seulement 78 coups sûrs pour briser le record. Selon toi, combien de présences au bâton te faudra-t-il pour frapper ces 78 coups sûrs?»

Sans hésiter, Pete regarda le journaliste droit dans les yeux et répondit simplement: «78». Le journaliste s'exclama: «Pete, tu ne crois tout de même pas pouvoir frapper 78 coups sûrs en 78 présences au bâton?»

D'un ton calme, M. Rose expliqua sa philosophie à la meute de journalistes qui attendaient impatiemment sa réponse à cette prédiction audacieuse.

«Chaque fois que je me présente au marbre, je *m'attends* à frapper un coup sûr.

Si je ne *m'attends* pas à frapper un coup sûr, je n'ai tout simplement pas d'affaire à me présenter au cercle d'attente.

«Si je me présente au marbre en *espérant* frapper un coup sûr» ajouta-t-il, «je n'ai probablement aucune chance de réussir. Si j'ai pu frapper autant de coups sûrs, c'est précisément grâce à cette attitude positive.»

Un jour, lorsque je pensai à la philosophie de Pete Rose et à ce qui pouvait en résulter dans la vie de tous les jours, je me sentis un peu gêné: j'étais un homme d'affaires qui *espérait* atteindre ses prévisions de ventes; j'étais un père qui *espérait* être un bon parent; j'étais un époux qui *espérait* être un bon mari.

La vérité, c'est que j'étais un représentant de commerce adéquat, un père pas si mal et un époux acceptable. Je décidai alors sur-le-champ qu'être acceptable en tout ne suffisait pas! Je voulais être un excellent représentant de commerce, un excellent père et un excellent époux.

J'adoptai la même attitude positive que Pete Rose et les résultats furent renversants. J'eus la chance de gagner en prime de rendement quelques voyages d'affaires et je fus nommé entraîneur de l'année dans la ligue de baseball de mon fils. Quant à ma relation amoureuse avec ma femme Karen, je m'*attends* à ce qu'elle soit harmonieuse jusqu'à la fin de mes jours.

Merci, M. Rose!

Barry Spilchuk

On vit plus vieux
dès qu'on prend conscience
qu'on perd son temps
à être malheureux.

Ruth E. Renkl

Une image vaut mille mots

Un vieillard entra dans le magasin en tenant dans ses mains un cadre double en vinyle vert tout tordu; à l'intérieur duquel se trouvaient des photos d'un jeune couple.

Le cadre était endommagé et déchiré jusqu'au centre. On aurait dit que quelqu'un avait essayé sans succès de le rafistoler avec du ruban adhésif. De crainte d'endommager davantage le cadre, l'homme l'avait apporté à la boutique d'encadrement, mais notre expert-encadreur jugea qu'il n'était pas réparable.

Comme je n'avais pu m'empêcher d'entendre leur conversation, je demandai au vieil homme si je pouvais examiner son cadre. Je lui proposai alors de garder le cadre jusqu'au lendemain, sans trop savoir comment j'allais m'y prendre pour le réparer. L'homme soupira et acquiesça, puis, la tête basse, il sortit du magasin.

J'enlevai soigneusement le vieux ruban adhésif, puis je collai les morceaux ensemble. J'appliquai ensuite un agent liant artificiel et je masquai les dommages de surface avec du ruban à bordure et de la bourre de soie.

Le lendemain, le vieil homme revint au magasin et je lui remis son cadre. Je lui annonçai qu'il ne me devait rien, même si j'avais payé de ma poche le matériel nécessaire.

Impressionné par mon travail de réparation, il éclata en sanglots. Les photos étaient des photos de lui et sa femme. Il en pointa une et me dit:

«Voici ma femme, elle vient de mourir. C'est elle qui avait préparé ce cadre dans les années 1920 et j'avais si peur qu'il soit brisé à jamais.»

Les larmes aux yeux, je lui dis: «Revenez nous voir quand il vous plaira.» Il me répondit en se dirigeant vers la sortie: «Jamais je ne vous oublierai, Christine.»

Cet homme entra dans ma vie à un moment où je vivais beaucoup d'incertitude à l'égard de mon travail; je songeais même à démissionner. Heureusement, il me fit comprendre où était ma place et quel était le véritable sens de ma vie. C'est un si grand bonheur de donner avec tout son cœur.

Les mots me manquent pour dire ce que ce vieil homme fit pour moi. Plus tard cette année-là, on m'offrit le poste bien rémunéré de coordonnatrice de la production.

Parfois, Dieu fait entrer des personnes dans nos vies pour une raison bien précise. Même si j'ignore son nom, jamais je n'oublierai mon petit vieillard au cadre.

Christine James

Le sourire est compris

Tout ce que je sais sur la vente, je l'ai appris en un après-midi auprès de mon père, Walt, à son magasin de meubles. J'avais 12 ans. Je balayais le plancher lorsqu'une vieille dame entra. Je demandai à mon père si je pouvais la servir. «Bien sûr», me répondit-il.

«Puis-je vous aider?»

«Oui, jeune homme. J'ai acheté un sofa ici et il a perdu une patte. J'aimerais savoir quand vous pourrez le réparer.»

«Quand avez-vous acheté ce sofa, m'dame?»

«Il y a environ 10 ans.»

J'expliquai à mon père que cette femme s'attendait à ce que nous réparions gratuitement son vieux sofa. Il me demanda de lui dire que nous irions chez elle l'après-midi même. Après avoir revissé une nouvelle patte, nous repartîmes. Sur le chemin du retour, papa me demanda: «Qu'est-ce qui te tracasse, mon gars?»

«Tu sais que je veux aller à l'université. Si nous passons notre temps à réparer gratuitement des vieux sofas, nous allons tout droit vers la faillite!»

«De toute façon, il fallait que tu apprennes à faire ce type de réparation. En passant, tu as raté le plus important: tu n'as pas remarqué l'étiquette du magasin lorsque nous avons retourné le sofa. Elle l'avait acheté chez Sears.»

«Tu veux dire que nous avons travaillé gratuitement alors qu'elle n'est même pas une de nos clientes?»

Papa me regarda droit dans les yeux et dit: «Elle l'est maintenant.»

Deux jours plus tard, la vieille dame revint à notre magasin et acheta pour plusieurs milliers de dollars de meubles. Lorsque nous lui livrâmes les meubles, elle déposa sur la table de la cuisine un gros bocal rempli de billets de dix, vingt, cinquante et cent dollars. «Prenez ce dont vous avez besoin», dit-elle en quittant la pièce.

Je travaille dans la vente depuis ce jour, il y a maintenant 30 ans. J'ai été le meilleur vendeur dans toutes les entreprises que j'ai représentées, parce que je traite chaque client avec respect.

Michael T. Burcon

Un coup de main de Dylan

Dylan, deux ans, m'aidait à préparer un dessert pour la réunion de comité qui se tiendrait chez moi plus tard cette journée-là. Nous avions opté pour une recette qui demandait un peu de boisson gazeuse en guise de liquide. Lorsque nous versâmes la boisson gazeuse, Dylan fut littéralement enchanté par le pétillement et le bouillonnement du mélange. Je le laissai s'émerveiller de cette magie pendant que je passai un bref coup de fil. À mon retour, je trouvai Dylan qui s'exclamait avec jubilation: «Fizzie! Dylan fait Fizzie!»

Les Fizzies, ce sont des pastilles de saveurs différentes que l'on fait dissoudre dans de l'eau pour faire des breuvages. Le succès de ces pastilles repose moins sur leur saveur que sur le spectacle qu'elles donnent quand elles se mettent à pétiller et à bouillonner. Enfant, ces pastilles me fascinaient et j'étais heureuse d'en avoir trouvées pour Dylan. «Oui», acquiesçai-je, «ça ressemble beaucoup à des Fizzies.»

Fier comme un paon de m'avoir aidée, Dylan annonça à chaque invité qui arrivait: «Dylan fait Fizzie!» Lorsque les invités mangèrent le dessert, ils me demandèrent comment je le préparais. Je leur expliquai la recette. Je venais à peine de terminer que le grand-père de Dylan entra dans la pièce et dit: «Excuse-moi de t'interrompre. Je ne trouve pas mes pastilles pour dentier. Je les avais laissées dans la cuisine ce matin et elles n'y sont plus.»

À ce moment précis, Dylan cria d'une voix stridente: «Dylan fait Fizzie!» Je regardai le dessert, puis je regardai Dylan. Et je compris. *Mon Dieu, je venais de servir des pastilles pour dentier à mes invités!*

Malheureusement, mes invités venaient également de comprendre ce qui s'était passé. J'étais maintenant entourée de gens désespérés — certains avaient même la nausée — qui essayaient poliment de recracher des bouchées. Ce n'était pas joli à voir.

Cette histoire se termine bien, toutefois, pour la personne très occupée que je suis: depuis l'incident «Fizzie», on ne m'a plus jamais demandé de préparer un plat pour une réunion de comité.

Nancy Richard-Guilford

Dieu et la pluie

Il y a quelques années, j'eus la chance de me faire dorloter pendant deux semaines dans les magnifiques montagnes de Santa Barbara en Californie.

J'avais demandé à des amis s'ils pouvaient m'héberger dans leur petite auberge, le temps que je termine le livre sur lequel je travaillais.

Les trois premiers jours furent mémorables et me réservèrent deux choses plutôt particulières.

Premièrement, les écluses du ciel s'ouvrirent et une pluie diluvienne tomba pendant trois jours consécutifs. Au début, ce fut plutôt agréable; après un certain temps, toutefois, je songeai à construire une arche.

Deuxièmement, je fis la connaissance d'un «assistant». Chaque jour à midi, le fils de mes amis, Christopher, revenait de la maternelle et me proposait son «aide». Au troisième jour du déluge, Christopher me demanda pourquoi il pleuvait tant. Simplement pour le plaisir de la conversation, je lui répondis:

«Parfois, il pleut parce que Dieu est triste et qu'il pleure.»

«Il pleure probablement parce que la Saint-Valentin est déjà passée», expliqua mon prophète de cinq ans. Avec assurance, il sortit dehors sous la pluie, leva les yeux vers le ciel et dit:

«Dieu, ne t'en fais pas. La Saint-Valentin est passée, mais Pâques s'en vient!»

Peu après, la pluie cessa.

Barry Spilchuk

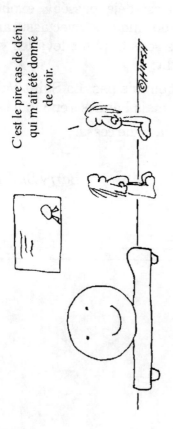

C'est le pire cas de déni
qui m'ait été donné
de voir.

Allan M. Hirsh Cartoons. Reproduit avec autorisation. Allan M. Hirsh.

Un don du cœur

Lorsque j'étais adolescente, à peu près vers l'âge de 13 ans, ma mère m'enseigna une précieuse leçon que je n'ai pas oubliée depuis.

Un jour que nous faisions nos emplettes dans une petite épicerie, je vis une famille entrer dans le magasin. On aurait dit une mère en compagnie de sa fille et de sa petite-fille. Leurs vêtements étaient propres mais usés; c'était de toute évidence des gens peu fortunés. Elles poussèrent leur panier dans les allées du magasin en choisissant soigneusement chaque article, la plupart bon marché et uniquement des aliments de base.

Une fois nos emplettes terminées, ma mère et moi nous dirigeâmes vers la caisse pour payer. Nous étions troisièmes dans la file: devant nous se trouvaient la famille peu fortunée ainsi qu'un autre client.

Pendant que je regardais la famille placer ses achats sur le tapis roulant, j'entendis la mère demander à plusieurs reprises le sous-total de ses achats au caissier, car elle ne disposait que d'une certaine somme.

Cela prenait du temps, et le client devant moi manifestait de plus en plus d'impatience. Il se mit même à marmonner des choses que la mère entendit sûrement.

Lorsque le caissier annonça le montant total, la femme s'aperçut qu'elle n'avait pas assez d'argent; elle se mit donc à montrer du doigt les articles qu'elle n'achèterait pas.

Ma mère fouilla dans son sac à main, sortit un billet de vingt dollars et le tendit à la femme. Celle-ci parut très étonnée et dit: «Je ne peux pas accepter cela!» Ma mère la regarda alors et répliqua calmement:

«Bien sûr que vous le pouvez. Considérez cela comme un cadeau. Il n'y a rien de superflu dans votre panier. Acceptez, je vous en prie.»

La femme prit l'argent en serrant la main de ma mère pendant un bref instant. Des larmes coulaient sur ses joues: «Merci infiniment. C'est la première fois que quelqu'un m'aide ainsi.»

Je me rappelle être sortie du magasin avec l'envie de pleurer et c'est un moment que je n'oublierai jamais. Voyez-vous, mes parents ont élevé six enfants et n'étaient pas fortunés, même si je ne me souviens pas d'avoir jamais manqué de rien. Je suis très heureuse de dire que j'ai hérité de leur grand cœur.

C'est maintenant à mon tour de donner avec générosité, et rien au monde ne procure une telle satisfaction!

Dee M. Taylor

*Les choses
auxquelles vous croyez vraiment
se réalisent,
car la foi déplace les montagnes.*

Frank Lloyd Wright

6

LES HÉROS ORDINAIRES

On mesure la nature véritable d'un homme
par les choses qu'il ferait
s'il se savait
à l'abri de tous les regards.

T. B. Macaulay

Une aide inattendue

Lorsque mon fils Mark était en troisième année du primaire, il économisa son allocation pendant plus de deux mois pour acheter des cadeaux de Noël à tous ceux qu'il aimait. Il économisa 20 dollars. Le troisième samedi de décembre, Mark annonça qu'il avait fait sa liste et qu'il avait mis tout son argent dans sa poche.

Je le conduisis jusqu'à la pharmacie du coin, version moderne des anciens «magasins à quinze cents». Mark prit un panier et partit de son côté tandis que j'attendais patiemment près de la sortie, un livre à la main. Mark eut besoin de plus de 45 minutes pour acheter ses cadeaux. Il avait un sourire rayonnant quand il revint.

Pendant que je regardais poliment de l'autre côté, le commis fit le compte de ses achats. Mark avait respecté son budget. Il plongea la main dans sa poche pour prendre son argent, mais elle était vide. Il y avait un trou dans sa poche, mais pas d'argent.

Mark resta figé sur place, les mains serrées sur son panier et les joues mouillées de larmes. Son corps était secoué de sanglots. Puis, une chose inattendue se produisit. Une cliente du magasin s'approcha de lui. Elle s'accroupit, le prit dans ses bras et lui dit:

«Ce serait pour moi un grand honneur si tu acceptais que je te rembourse ce que tu as perdu. Tu ne pourrais m'offrir de cadeau plus merveilleux. Tout ce que je te demande, c'est que tu fasses la même chose un jour. Ce jour-là, quand tu seras grand, j'aimerais que tu trouves quelqu'un que tu peux aider. Lorsque tu aideras cette personne, je suis persuadée que tu te sentiras aussi bien que moi en ce moment.»

Mark prit l'argent, sécha tant bien que mal ses larmes et courut vers le commis pour payer. Je crois que cette année-là, nous eûmes presque autant de plaisir à recevoir nos cadeaux que Mark en eut à nous les offrir.

Je voudrais remercier cette femme extraordinaire. J'aimerais lui dire que quatre ans plus tard, Mark alla de maison en maison pour amasser des couvertures et des manteaux à l'intention des victimes de l'incendie d'Oakland. Et il le fit en pensant à elle. J'aimerais lui dire aussi que chaque fois que je donne de la nourriture à une famille défavorisée, je pense à elle. Et je veux lui faire la promesse suivante: Mark n'oubliera jamais de donner.

Laurie Pines

Voici quatre choses
à apprendre dans la vie:

Réfléchir sans céder
à la précipitation ou à la confusion;

Aimer sincèrement son prochain;

Agir en tout temps
pour les motifs les plus nobles;

S'en remettre en toute confiance
à Dieu.

Helen Keller

Tous pour un

L'histoire suivante fut racontée par un prêtre un dimanche. C'est une histoire vraie qui se passa lorsqu'il était militaire.

Un jour, un sergent instructeur s'approcha d'un groupe de jeunes soldats et leur lança une grenade. Les soldats prirent leurs jambes à leur cou pour se mettre à l'abri. Le sergent leur révéla alors que la grenade n'était pas armée et qu'il voulait seulement voir leurs réactions. Le lendemain, une recrue arriva au camp. Le sergent demanda aux autres soldats de ne pas dire au nouveau ce qui allait se produire. Lorsque le sergent s'approcha et lança une grenade vers le groupe de soldats, la recrue, ignorant que la grenade n'exploserait pas, se jeta sur celle-ci pour protéger les autres soldats. Il était prêt à mourir pour sauver ses camarades.

Cette année-là, ce jeune homme reçut la seule médaille de courage et de bravoure qui ait été décernée pour un geste posé en dehors du champ de bataille.

Kim Noone

Un jour à la plage

«Moi jouer!», lança le garçon aux prises avec des difficultés mentales.

«Bien sûr», répondis-je.

Je lui lançai la balle.

«Oui! Moi attraper!», s'écria-t-il.

«Bon, maintenant, lance-la-moi», dis-je.

Le garçon me lança la balle. Je l'attrapai et plongeai sous l'eau.

«Tu n'es pas obligé de jouer avec lui», me dit la mère du garçon.

«Non, ça va, c'est amusant», répliquai-je.

«Oui, encore plonger!», cria le garçon. Je plongeai de nouveau.

Nous continuâmes à jouer ainsi pendant une demi-heure. Quand le garçon partit, il souriait comme jamais je n'avais vu quelqu'un sourire.

Cette modeste expérience me semblait bien banale; j'étais persuadé que n'importe qui en aurait fait autant. Un garçon avait voulu jouer avec moi et j'avais joué avec lui.

Cela lui avait fait plaisir et, par le fait même, à moi aussi.

Toutefois, dès que le garçon fut parti, je sentis que les autres me regardaient.

Un autre garçon s'approcha de moi et dit:

«Pourquoi jouais-tu avec cet idiot?!»

Je restai silencieux et m'éloignai.

Kevin Toole
6ᵉ année

Si vous avez un seul ami véritable,
vous avez déjà plus que votre part.

Thomas Fuller

Mon père est magicien

Ma sœur Lois était née en janvier, elle était donc trop jeune pour se rappeler ses deux premiers hivers à Chicago.

Un jour, alors qu'elle avait trois ans (vous savez, cet âge où vous pensez que vos parents pourraient faire l'impossible pour vous), elle se réveilla et découvrit que la neige avait recouvert tout son petit univers pendant son sommeil. C'était la première fois qu'elle voyait de la neige.

Elle sortit de sa chambre en courant et se rendit à la cuisine où le reste de la famille déjeunait. Ses yeux bleus grands ouverts, elle demanda avec enthousiasme à mon père:

«Papa, comment as-tu fait ça?»

John Sandquist

Bienvenu à la maison

En 1921, mes grands-parents émigrèrent de la Russie pour échapper aux persécutions dont les juifs étaient victimes. Sortir du pays fut une aventure en soi, mais ils réussirent finalement à atteindre le port.

Chaque personne qui embarquait dans un bateau en partance pour l'Amérique devait montrer qu'elle avait 50 dollars pour avoir le droit d'émigrer. Mon oncle, qui vivait déjà aux États-Unis, avait envoyé l'argent à mes grands-parents.

Quand ceux-ci montèrent à bord du bateau, mon grand-père aperçut un petit garçon qui pleurait à fendre l'âme. Il s'approcha de lui. Le garçon lui raconta qu'il avait perdu son argent et qu'il ne pourrait pas entrer aux États-Unis. Mon grand-père donna alors ses cinquante dollars à ce petit garçon, qui s'appelait Isadore Feterman.

Une fois arrivé au port en Amérique, mon grand-père contacta mon oncle et lui demanda de nouveau de l'argent. Il dut attendre plusieurs jours, mais tous purent finalement immigrer aux États-Unis.

Quinze ans plus tard, alors que mon grand-père était dans sa boutique de brocanteur, une limousine se gara devant le magasin et deux hommes en sortirent. Ils demandèrent à parler à Benjamin Lasensky. Mon grand-père répondit que c'était lui. Un des hommes déclara qu'il s'appelait Isadore Feterman, puis il tendit un chèque en blanc à mon grand-père en disant:

«C'est à vous que je dois ma réussite et mon bonheur ici. Prenez ce chèque et inscrivez le montant que vous désirez.» (Isadore était un millionnaire célèbre.)

Mon grand-père prit le téléphone et appela mon oncle pour tout lui raconter. Mon oncle répondit:

«Nous lui avons donné cinquante dollars. Écris ce montant.»

Le temps passa et ils se perdirent de nouveau de vue. Quelques années plus tard, le cousin de mon grand-père, qui vivait à New York comme Isadore Feterman, préparait une fête à l'occasion du 85ᵉ anniversaire de naissance de mon grand-père. Il décida d'inviter Feterman à la fête. Feterman répondit:

«Je ne manquerais pas cela pour tout l'or du monde.»

Isadore Feterman vint donc à la fête d'anniversaire, à la grande surprise de mon grand-père, et il raconta à tout le monde l'histoire de son arrivée en Amérique.

Amy Cubbison

Le respect des autres aidera davantage vos enfants dans la vie que n'importe quel diplôme.

Marian Wright Edelman

La charité des pauvres

Ce n'était pas un chauffeur de taxi comme les autres. Lorsque nous quittâmes l'hôtel en direction de l'aéroport de Kansas City, nous passâmes devant un immeuble modeste situé dans un secteur délabré du centre-ville.

«C'est mon bureau!», s'exclama fièrement le chauffeur. Sur la vitrine étaient inscrites les lettres «CP». «Je m'occupe des 10000 sans-abri qui se promènent, invisibles, dans Kansas City», expliqua-t-il.

Je pouvais sentir l'émotion dans la voix de ce chauffeur de taxi. J'avais la gorge serrée.

«Ouais!» ajouta Richard Tripp, «Le matin de Noël, je sers à déjeuner aux 800 personnes qui doivent quitter les refuges habituels, le temps qu'on prépare le dîner de Noël. J'ai fondé la CP (La charité des pauvres) lorsque je me suis repris en main au bout de six mois d'itinérance.

«Après 20 ans de taxi et trop de contraventions pour excès de vitesse, j'avais perdu mon permis et je m'étais retrouvé à la rue. Ce n'était pas si terrible.

«Vous voyez cette cour pleine de camions? C'est là, dans les poubelles, que je trouvais de grosses toiles de plastique que j'utilisais pour me fabriquer une tente à l'épreuve de la pluie et un sac de couchage pour me garder au chaud. Chaque nuit pendant six mois, j'ai dormi dans ce boisé.

«Vous savez, quand une personne reste dans l'itinérance pendant plus de six mois, il y a neuf chances sur dix qu'elle ne s'en sorte jamais. Je leur offre donc un choix, une nouvelle chance.

«Nous n'acceptons pas d'argent, mais seulement de la nourriture et des vêtements, bref tout ce dont les itinérants ont réellement besoin. Je donne des interviews à la radio et les gens font beaucoup de dons.

«L'an passé, un mari et sa femme qui m'avaient entendu à la radio sont venus à la CP. Ils m'ont dit que je les avais émus parce que j'avais parlé avec mon cœur. La fillette de cinq ans de ce couple avait été tuée par un chauffard qui s'était enfui. En mémoire de leur enfant, ils ont donné des gants aux 800 sans-abri.

«Jamais je n'avais vu quelqu'un offrir un cadeau si beau et si utile. Tous les sans-abri les avaient remerciés en pleurant, car ils ne se gèleraient plus les mains.»

Chaque année, grâce à Richard Tripp, 5000 des 10000 sans-abri de Kansas City mangent des repas chauds et reçoivent des vêtements.

Mark Victor Hansen

*L'amitié est le fil d'or
qui unit les cœurs
de tous les habitants de la planète.*
John Evelyn

Le service du 411

J'ai déjà travaillé comme téléphoniste; il suffisait de composer le 411 et c'est moi qui répondait à l'autre bout du fil. On contacte le 411 pour trouver un numéro de téléphone, mais beaucoup de gens croient que les téléphonistes du 411 savent tout à propos de tout. Je recevais donc des appels du genre «Vous savez, cette fille qui habite la maison brune sur cette rue-là? Elle est dans ma classe. Elle a les cheveux bruns.» Je recevais également des demandes du genre «Pourriez-vous me donner une recette de salade aux œufs?».

Un jour, à l'approche de Noël, je reçus un appel. «Assistance annuaire, puis-je vous aider?», dis-je. L'homme à l'autre bout du fil me dit d'une voix qui trahissait une grande solitude: «M'dame, j'ai besoin... j'ai besoin de nourriture pour ma chatte.» Il semblait réellement désespéré, mais je devais couper la communication. En effet, il m'était interdit de donner des renseignements autres que des numéros de téléphone. Je coupai donc la communication.

Il rappela et, étrangement, ce fut encore moi qui répondis. De nouveau, il dit faiblement: «M'dame, je vous en prie, ne raccrochez pas. Ma pauvre chatte... elle est affamée. Tout ce que je souhaite pour Noël, c'est de lui trouver à manger. S'il vous plaît, mademoiselle... aidez-moi.» Que pouvais-je faire? Ce pauvre homme semblait si sincère. Il fallait que je fasse quelque chose! En toute hâte, je lui demandai son adresse, la notai sur un bout de papier et dis à mon interlocuteur que je ferais de mon mieux.

Je sentais que je devais faire quelque chose pour ce pauvre vieux et sa chatte. J'allai voir mon supérieur et lui demandai si je pouvais prendre congé pour le reste de la soirée. Le soir tombait et il commençait à neiger.

Je quittai mon travail et me rendis dans un magasin. J'achetai un gros sac de nourriture pour chats, le décorai d'un gros ruban rouge et y attachai une carte de Noël. Je sortis de ma poche l'adresse du vieil homme et partis en direction de son domicile. Il habitait dans un quartier malfamé de la ville et lorsque j'arrivai, il faisait noir et il neigeait. Je descendis de ma voiture et montai un escalier pourri qui grinçait. Je déposai le sac de nourriture sur le perron et sonnai à la porte, puis je me précipitai vers ma voiture pour me cacher. De là, j'observai le vieil homme tout ridé qui ouvrit la porte. Le sourire qui illumina son visage lorsqu'il aperçut la nourriture et la carte fut le plus beau cadeau de Noël de toute ma vie!

Molly Melville

*Il y a deux façons
de propager la lumière:
en étant la bougie qui la produit,
ou le miroir qui la réfléchit.*

Edith Wharton

L'échange

Le week-end dernier, je suis resté à la maison pour «garder ma mère». Maman ne se sentait pas bien et avait besoin d'un peu d'aide. Mon père, qui travaille à temps partiel, reçoit l'aide de parents et d'amis pour aider maman à se déplacer. C'est durant ce week-end que papa m'a raconté l'histoire d'une des femmes qui aide maman. Mais d'abord, laissez-moi vous présenter un peu la famille où j'ai grandi.

Mes parents ont toujours cru que le plus grand nombre possible de leurs enfants (nous étions huit) devaient s'ouvrir au monde. Trois de leurs enfants participèrent donc à des échanges d'étudiants (Australie, Brésil et Pays-Bas). Vous croyez peut-être que cette façon de se «débarrasser» de nous était un stratagème pour alléger la facture d'épicerie. Détrompez-vous: pendant notre absence, mes parents accueillaient des étudiants d'autres pays (Australie, Pays-Bas et Japon).

Maman était convaincue qu'il était plus facile d'ajouter un septième ou un huitième enfant à notre famille déjà nombreuse que d'ajouter un troisième ou un quatrième enfant à une famille plus petite.

Aujourd'hui, toutefois, maman ne peut plus faire cela. Comme elle a de la difficulté à se déplacer, mes frères ont construit une salle de bains au rez-de-chaussée. Chaque semaine, une infirmière du nom de Beth vient aider maman à prendre un bain.

L'autre jour, papa a dit à Beth à quel point maman appréciait ce qu'elle faisait pour elle, puis il lui a demandé le plus gentiment possible pourquoi elle se dévouait tant pour ma mère. Beth a répondu:

«Oh! Je crois que vous ne vous souvenez pas de moi. J'ai participé à un «échange» alors que j'étais nouveau-née. Ma mère était malade et vous m'avez accueillie chez vous pendant quatre mois. C'est bon de pouvoir vous rembourser ce que je vous dois.»

Mike Lynott

La vente aux enchères

Un jour, un jeune garçon entra dans un poste de police où on tenait une vente aux enchères de bicyclettes trouvées et non réclamées. Chaque fois que le commissaire-priseur débutait une mise à l'encan, le garçon s'écriait : «J'offre un dollar, monsieur.»

Les mises se poursuivaient ensuite, de plus en plus élevées, jusqu'à ce que chaque bicyclette soit vendue au plus offrant. Et chaque fois, le garçon offrait un dollar.

Lorsqu'on présenta la dernière bicyclette à vendre, le garçon s'écria : «J'offre un dollar, monsieur.» Comme les fois précédentes, les mises augmentèrent jusqu'à ce que le commissaire-priseur laisse aller la bicyclette pour neuf dollars en faveur du petit garçon assis dans la première rangée.

Le commissaire-priseur fouilla alors dans sa poche, sortit huit dollars et les déposa sur le comptoir; le petit garçon s'approcha et déposa à côté de cette somme des pièces de un cent, de cinq cents et de dix cents, pour un total de un dollar.

Ensuite, il prit la bicyclette et se dirigea vers la porte. Mais avant de sortir, il plaça

la bicyclette par terre, courut vers le commissaire-priseur, mit ses bras autour de
son cou et éclata en sanglots.

Elder Featherstone,
Histoire proposée par
Jack ZoBell

Si vous cherchez le bonheur...
Pendant une heure, faites une sieste;
Pendant une journée,
allez à la pêche;
Un mois, mariez-vous;
Une année, héritez d'une fortune;
Pendant toute la vie,
aidez quelqu'un.

Proverbe chinois

7

LA SAGESSE ÉCLECTIQUE

*La bonté, c'est l'incapacité
de demeurer à l'aise
en présence de quelqu'un
qui ne l'est pas,
c'est l'incapacité de se sentir bien
en présence de quelqu'un
qui se sent mal,
c'est l'incapacité d'avoir
l'esprit tranquille
quand son voisin est tourmenté.*

Rabbi Samuel H. Holdenson

Le champ de rêves

«Celle-là est pour toi, papa!» cria Matthew Ryan Emrich, les yeux levés vers le ciel et le poing dans les airs pendant qu'il faisait le tour des sentiers. Matthew, qui n'avait pas encore neuf ans, venait de frapper son premier coup de circuit pour son équipe de baseball, l'équivalent d'un «grand chelem» au-dessus de son «Champ de rêves»!

Son père, Mark, avait toujours rêvé de jouer dans les ligues majeures. Il avait participé à plusieurs camps d'entraînement, avait survécu à plusieurs «renvois» dans les mineures, mais il n'avait jamais pu réaliser son rêve, lequel avait été inspiré et nourri par son père, Chet.

Mark avait continué à jouer sur les terrains vagues, enseignant à jouer aux enfants de son voisinage. À la naissance de Matthew, le 30 juillet 1985, Mark avait fait la promesse de transmettre son rêve à son fils. Dès l'âge de quatre ans, Matthew avait réussi à frapper une balle au-dessus du toit du voisin.

Matthew portait le numéro 7, le même que son père. Il était aussi heureux d'être aimé par son père que d'avoir la chance de perpétuer la tradition familiale. Après tout, le film «Champ de rêves» ne parle pas uniquement de baseball, mais aussi de la relation père-fils et de la foi!

Avec tristesse, mais cependant avec beaucoup de foi, Mark s'engagea avec bravoure dans un combat contre le cancer. Malheureusement, il perdit. Il n'avait que 33 ans.

Le dimanche où il rendit son dernier souffle, il avait été admis à l'hôpital uniquement pour «observation». Les médecins lui avaient promis qu'il sortirait à temps pour assister au tout premier match de son fils, prévu pour le lendemain après-midi.

Peu importe ce qui arriverait, la famille et les amis savaient que Matthew jouerait le lendemain, comme son père l'aurait souhaité. Matthew, quant à lui, ignorait que la promesse qu'il avait faite à sa mère, Sherry — «La première balle que je frapperai sera pour papa!» — serait entendue par quelqu'un de «bien plus haut placé».

Quelqu'un eut le commentaire suivant à propos de l'exploit de Matthew:

«Cette balle a fait tomber son père du nuage où il observait le match.»

Ce commentaire résume à lui seul toutes les victoires que nous remportons ici-bas, n'est-ce pas?

Ronald D. Eberhard

*Lorsqu'on arrive
au bord de l'abîme
et qu'on s'apprête à plonger
dans les ténèbres de l'inconnu,
on a la foi si on sait
que l'une ou l'autre
des choses suivantes se produira:
on trouvera quelque chose de solide
pour s'accrocher, ou bien
on apprendra à voler.*

Barbara J. Winter

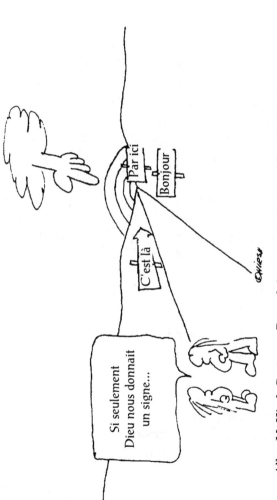

Allan M. Hirsh Cartoons. Reproduit avec autorisation. Allan M. Hirsh.

Un don du ciel

Mai 1947. Cinq heures trente du matin. J'étais en train de manger un bol de céréales et une rôtie dans la cuisine du presbytère d'une petite ville située à 32 km à l'est de Des Moines, en Iowa. Toute la nuit, j'avais, entre deux prières, essayé de trouver une solution au dilemme suivant.

Je devais encore 50 $ de frais de scolarité à l'université Drake, et les examens finaux de ma dernière année d'études commençaient ce jour-là. Or, selon les règles en vigueur dans cet établissement, tous les frais de scolarité devaient être payés avant que les futurs diplômés puissent avoir le droit de passer les examens finaux.

Allais-je avoir l'audace de faire un chèque «bidon»? Où trouverais-je l'argent pour l'honorer?

Ma femme et moi nous étions mariés durant ma première année d'université. Un an plus tard, notre premier enfant était né. Nous avions maintenant deux fils, et ma femme avait subi une chirurgie l'été précédent. Comme j'étais apprenti pasteur dans cette petite ville, nous avions le privilège d'habiter au presbytère et de recevoir un modeste salaire. Pour arrondir les fins de mois, je travaillais après les heures de cours et les samedis au *Des Moines Register and Tribune*.

Maintenant, j'étais tout près du but... et encore si loin.

C'est alors que le téléphone sonna. C'était Ed, le trésorier de la paroisse.

«Je déteste appeler si tôt le matin, mais j'ai pensé à quelque chose hier soir. Nous avions organisé une petite collecte parmi les fidèles dans le but de t'offrir un peu d'argent le jour où tu obtiendrais ton diplôme. J'ai pensé que tu en aurais peut-être besoin tout de suite et comme je sais que tu pars tôt le matin pour l'université, j'ai cru bon de t'appeler tout de suite.»

Mon cœur fit un bond dans ma poitrine. «Ed», dis-je, «tu as bien fait de m'appeler. Tu dois être la réponse à mes prières. J'ai en effet bien besoin de cet argent! J'ai encore un montant à verser pour mes frais de scolarité et je dois le faire aujourd'hui, avant le début des examens.»

«Bon, j'arrive tout de suite.»

Peu après, Ed frappait à ma porte, une enveloppe à la main. Je le remerciai, pris l'enveloppe et sautai dans ma voiture pour me rendre à l'université. En chemin, j'ouvris l'enveloppe et comptai les billets qui s'y trouvaient: il y avait exactement 50 $!

N. Gayle Fischer

S'inquiéter,
c'est abuser de ce cadeau divin
qu'est l'imagination.

Corrine Lajeunesse

Mauvais numéro?

Ma mère venait de s'éteindre, au bout d'une année durant laquelle son état s'était détérioré, puis amélioré, puis détérioré de nouveau. Sa vie n'avait plus été la même après la mort de papa, mais sa dernière année avait été particulièrement éprouvante.

Pour Marge, le plaisir avait disparu en même temps que George. Personne avec qui vivre, personne avec qui se disputer, personne avec qui rire, personne à aimer. Il lui restait ses enfants, bien sûr, mais ce n'était plus pareil sans papa. Nous comprenions.

Pendant son séjour à l'hôpital, l'état de maman empira brusquement. On contacta ma sœur, Betsy, qui quitta le travail pour se rendre directement à l'hôpital.

Son mari, Andy, reçut de sa femme un message difficile à comprendre, essaya de la rejoindre à la maison, n'y trouva personne et décida finalement d'appeler directement l'hôpital. Andy savait que la chambre de maman était au 7e étage. Il essaya de se rappeler le numéro de la chambre. 7226? 7626? 7662? Il décida alors d'appeler la réceptionniste et de lui demander d'acheminer son appel. Il demanda à parler à Marge Mueth. «M-U-E-T-H», épela-t-il.

La réponse qu'il obtint le prit par surprise. «Elle est dans la chambre 3643. Je vous mets en communication.» Andy ne comprenait pas pourquoi maman avait changé de chambre. Une voix d'homme se fit entendre à l'autre bout du fil. Andy, qui ne reconnaissait pas la voix, nageait maintenant en pleine confusion; il crut avoir appelé à la mauvaise chambre. «Désolé», dit-il. «Je me suis trompé de chambre. Je cherche la famille Mueth.»

L'homme lui répondit «C'est la bonne chambre. C'est George à l'appareil.» Andy, totalement déconcerté, garda toutefois son sang-froid: «Non, je crois que je me suis trompé de chambre. Je cherche Marge Mueth.» La voix de l'homme avait un ton léger et enjoué. «C'est ma femme. Je suis venu la chercher.»

Andy, abasourdi, raccrocha, puis il rappela la réceptionniste et demanda à parler à Marge Mueth, 7e étage. Son appel fut alors acheminé à la chambre 7226, et c'est

Betsy qui répondit lorsque le téléphone sonna dans la chambre de maman.

Le fils de ma sœur, Billy, résuma la situation avec cette simplicité et cette profondeur que seuls les enfants possèdent:

«Grand-papa est venu chercher grand-maman pour la ramener à la maison.»

Betsy éclata en sanglots et demanda à haute voix pourquoi «grand-papa» avait tant tardé.

Lin Hardick

*Dieu pénètre en chaque individu
par une porte secrète.*

Ralph Waldo Emerson

Une deuxième chance

On dit que les voies du Seigneur sont impénétrables. James Hogan[*], 16 ans, ignorait que Dieu était sur le point d'intervenir dans sa vie. Il venait d'abandonner ses études et travaillait comme livreur de pizza.

Décrit par ses enseignants et ses employeurs comme un jeune homme courtois et travaillant, James semblait toutefois incapable de supporter le stress de l'adolescence. Sa vie n'allait nulle part en dépit des prières silencieuses de sa mère.

Toujours consciencieux, il continua à livrer des pizzas tout juste sorties du four jusqu'au jour où il aperçut l'arrière d'une Cadillac qui s'enfonçait dans un petit étang. La voiture coulait à pic et il y avait un vieil homme à l'intérieur.

Sans hésiter, James arrêta brutalement sa camionnette de livraison et se précipita dans l'eau. Emprisonné à l'intérieur de la voiture se trouvait le révérend Max Kelly. Il était inconscient.

---

[*] Les noms dans cette histoire ont été changés.

James, debout sur le coffre de la voiture, vit qu'une fenêtre était entrouverte à l'arrière. Il sortit le vieil homme et le ramena sur la rive.

Après ce sauvetage, les policiers offrirent à James de le ramener chez lui. Il refusa en disant qu'il avait un véhicule à ramener et des pizzas à livrer.

Toujours aussi consciencieux, il demanda aux policiers de contacter par radio ses clients pour les prévenir que leurs pizzas seraient livrées en retard et quelque peu refroidies.

En décembre 1995, James reçut la médaille Carnegie pour bravoure; en plus d'une médaille, on lui remit 2 500 $ et une bourse d'études.

Pourtant, à peine deux semaines avant l'accident, il avait voulu mourir et avait appuyé un revolver contre sa tempe. Si le revolver ne s'était pas enrayé, il n'aurait pas pu sauver la vie du révérend.

Les prières de sa mère ont été exaucées: James est retourné aux études. Il prend des cours de rattrapage pour combler son retard sur ses camarades et s'entraîne pour faire partie de l'équipe de baseball.

Un vaste élan de sympathie et de soutien a donné à sa vie un nouveau sens, un nouveau but et une deuxième chance bien méritée.

Joanie Nietsche

Une bouteille à la mer

À l'été de 1965, toute la parenté s'était réunie pour un rassemblement familial à Plant City, en Floride. À deux heures du matin, ma grand-mère réveilla tout le monde et demanda qu'on lui apporte des bouteilles de Coca-Cola vides, des bouchons et des feuilles de papier.

«J'ai reçu un message de Dieu», disait-elle. «Tous doivent l'entendre.»

Elle se mit ensuite à écrire des versets de la Bible sur les feuilles de papier, tandis que ses petits-enfants introduisaient les feuilles dans les bouteilles et les refermaient avec les bouchons.

Ce matin-là, tous les membres de la parenté se rendirent à Cocoa Beach et jetèrent 200 bouteilles à la mer.

Au cours des années qui suivirent, des gens écrivirent à ma grand-mère, l'appelèrent et la visitèrent. Tous la remerciaient d'avoir posé ce geste. Elle mourut en novembre 1974.

En décembre 1974, une dernière lettre arriva. Voici ce qu'elle disait:

Chère Mme Gause,

Je vous écris cette lettre à la lueur d'une chandelle. On nous a coupé l'électricité à la ferme. Mon mari est décédé. Il a été écrasé par son tracteur après avoir fait une chute. En plus de moi, il a laissé dans le deuil 11 enfants, tous âgés de moins de 14 ans.

La banque veut faire une saisie, il nous reste uniquement un pain à manger, la neige est déjà arrivée, et ce sera Noël dans deux semaines.

J'ai demandé à Dieu son pardon, car hier, j'avais décidé d'aller me jeter dans la rivière. Comme la surface de l'eau est gelée depuis plusieurs semaines, je me disais que la mort serait rapide.

Au moment où je brisais la glace, j'ai vu une bouteille de Coke à la surface. Les yeux pleins de larmes et les mains tremblantes, je l'ai ouverte et j'ai lu un passage du livre de l'Écclésiaste (9:4) au sujet de l'espoir:

«Pour tous les vivants, il y a une chose certaine: un chien vivant vaut mieux qu'un lion mort.»

Vous proposiez d'autres passages de la Bible: Épître aux Hébreux 7:19, 6:18, Jean

3:3. Je suis retournée chez moi et j'ai lu ma bible.

Aujourd'hui, je remercie Dieu de m'avoir envoyé ce message. Je sais maintenant que nous allons nous en sortir. Priez pour nous, mais sachez que nous allons bien.

Que Dieu vous bénisse, vous et votre famille.

Une fermière de l'Ohio,

Chrystle White

La foi, c'est croire en une chose que le bon sens refuse d'admettre.

George Seaton

Rompre le silence

«Comment as-tu fait, Papa? Comment as-tu réussi à ne pas prendre un verre pendant toutes ces années?»

J'ai longtemps hésité à lui poser cette question très personnelle. Lorsque papa avait cessé de boire, toute la famille marchait sur des œufs chaque fois qu'il se présentait une situation qui l'aurait, dans le passé, poussé à boire. Pendant quelques années, nous évitâmes ce sujet de peur qu'il ne recommence à boire.

«J'avais un petit poème que je me récitais en silence au moins quatre ou cinq fois par jour», fut la réponse de mon père à cette question que je voulais lui poser depuis 18 ans.

«Ces mots m'apportaient un soulagement instantané et me rappelaient sans cesse qu'il n'existe aucune difficulté que je ne puisse surmonter», continua papa. Il me récita alors son poème. C'étaient des mots simples, mais d'une grande vérité, et je les intégrai immédiatement dans mon quotidien.

Environ un mois après cette discussion avec mon père, un ami m'envoya un cadeau par la poste. C'était un recueil de méditations quotidiennes, une pour chaque jour de l'année.

Lorsqu'on feuillette un livre dont les pages correspondent aux jours de l'année, on a tendance à l'ouvrir à la page de son anniversaire. Sans attendre, donc, j'ouvris le livre à la page du 10 novembre, jour de mon anniversaire, pour voir quels mots de sagesse j'y trouverais.

Des larmes d'incrédulité et de reconnaissance coulèrent sur mes joues: sur cette page se trouvait le poème qui avait aidé mon père pendant toutes ces années!

On l'appelle Prière de la sérénité.

Mon Dieu, donne-moi
*la **sérénité** d'accepter les choses que je*
ne peux changer;
*le **courage** de changer les choses que je*
peux; et
*la **sagesse** d'en connaître la différence.*

Barry Spilchuk

Ils l'auraient voulu ainsi

Jamais! Jamais je n'aurais pensé que je perdrais mes deux parents le même jour. Et pourtant, un jour, je reçus un coup de fil m'annonçant que mes parents avaient trouvé la mort dans un accident de voiture.

Pourquoi sont-ils morts le même jour?! Pourquoi moi? Pourquoi deux aussi bonnes personnes ont-elles dû mourir? Pourquoi? Pourquoi? Pourquoi? Pourquoi?

Je pris le premier avion pour le Kentucky. J'étais en état de choc, je refusais d'y croire, je me posais mille questions. Je retrouvai mes deux sœurs; complètement hystériques, elles refusaient d'admettre ce qui venait de nous arriver.

Je me rendis à la maison de mes parents. Sur le petit meuble qui se trouvait près de la chaise berçante préférée de mon père, il y avait le cadeau d'anniversaire que je lui avais envoyé. Dans la maison, on sentait encore leur présence et leur chaleur.

J'avais l'impression que mes parents étaient tout près de moi. Je n'arrivais pas à croire qu'ils étaient morts; je leur avais parlé au téléphone à peine deux jours auparavant. Et maintenant, ils étaient partis à jamais. Pour l'éternité!

Pendant les quatre jours de la veillée funèbre, plusieurs centaines de personnes, amis et parents, vinrent rendre un dernier hommage à mes parents. Des amis, assis autour des cercueils, se remémoraient les bons moments passés avec mes chers parents. Je n'avais jamais été aussi fier d'eux.

Mais s'il y a une chose qui m'aida réellement à comprendre leur mort, c'est cette phrase prononcée par le révérend Dewitt Furrow dans son éloge. Il dit:

«Vous vous demandez peut-être pourquoi Dieu les a rappelés à lui le même jour!

Pourtant, ils l'auraient voulu ainsi, car ils étaient toujours ensemble, cheminant main dans la main avec amour sur cette terre. Il serait égoïste de notre part de demander que l'un reste et que l'autre s'en aille. Celui qui aurait survécu serait mort de chagrin en moins d'une année.

Dieu a maintenant deux anges à ses côtés, qui cheminent au paradis comme ils le faisaient ici-bas. Dieu l'a voulu ainsi!»

Plus tard, pendant que je priais et pleurais au cimetière, je restai là à fixer leur tombe. C'est alors que les mots suivants résonnèrent en moi si clairement que j'en fus stupéfait: «Ils l'auraient voulu ainsi.»

Oui, ils l'auraient voulu ainsi.

Douglas Paul Blankenship

À PROPOS DES AUTEURS

Jack Canfield

Jack Canfield est un des meilleurs spécialistes américains du développement personnel et professionnel.

Auteur et narrateur de plusieurs audiocassettes et vidéocassettes, dont *Self-Esteem and Peak Performance*, *How to Build High Self-Esteem*, *Self-Esteem in the Classroom* et *Chicken Soup for the Soul — Live*, on le voit régulièrement dans des émissions télévisées telles que "Good Morning America", "20/20", "Eye to Eye" et "NBC Nightly News".

Chaque année, Jack prononce plus de 100 conférences devant des membres d'associations professionnelles, de commissions scolaires, d'organismes gouvernementaux, d'églises, d'entreprises du secteur de la vente et de corporations.

Mark Victor Hansen

Mark Victor Hansen est conférencier professionnel. Au cours des 20 dernières années, il s'est adressé à plus de deux millions de personnes dans 32 pays au sujet de la vente et du développement personnel.

Mark a écrit de nombreux livres, dont *Future Diary, How to Achieve Total Prosperity* et *The Miracle of Tithing*. Il est co-auteur de *Dare to Win*, de la série *Bouillon de poulet pour l'âme* et *The Aladdin Factor* (en collaboration avec Jack Canfield).

Mark a réalisé une collection complète d'audiocassettes et de vidéocassettes sur l'art de se prendre en main. Le message qu'il transmet a fait de lui une personnalité de la radio et de la télévision. On a notamment pu le voir sur les réseaux ABC, NBC, CBS, CNN et HBO.

Barry Spilchuk

Surnommé le «Dale Carnegie du Canada», Barry Spilchuk est conférencier et formateur professionnel.

Barry s'est donné comme mission d'inspirer les autres, en particulier les gestionnaires d'entreprises, à atteindre un degré d'amour plus élevé dans leur vie, notamment avec son *Executive Esteem Program*.

Barry est coauteur de *The Magic of Masterminding* et a réalisé plusieurs audiocassettes sur l'amélioration des relations interpersonnelles intitulées *Talk to me*.

Parmi les clients de Barry, on retrouve des grandes entreprises, des entreprises du secteur de la vente, des commissions scolaires, des hôpitaux et des organismes à but non lucratif.

AUTORISATIONS

Nous aimerions remercier tous les éditeurs ainsi que les personnes qui nous ont donné l'autorisation de reproduire leurs textes. (Remarque: Les histoires qui sont de source anonyme, qui appartiennent au domaine public et qui ont été écrites par Jack Canfield, Mark Victor Hansen ou Barry Spilchuk ne figurent pas dans cette liste.)

Un travail important. Reproduit avec l'autorisation de Dan S. Bagley. © 1996 Dan S. Bagley.

Un ange sur ma route. Reproduit avec l'autorisation de Larry Miller. © 1996 Larry Miller.

La rose bleue. Reproduit avec l'autorisation de Brenda Rose. © 1996 Brenda Rose.

Les occasions à saisir. Reproduit avec l'autorisation de Nick Lazaris. © 1996 Nick Lazaris.

Programme d'échange. Reproduit avec l'autorisation de Mary Jane West-Delgado. © 1996 Mary Jane West-Delgado.

Remède universel. Reproduit avec l'autorisation de Henry Matthew Ward. © 1996 Henry Matthew Ward.

La simplicité des mots. Reproduit avec l'autorisation de Roberta Tremblay. © 1996 Roberta Tremblay.

Bénis soient ceux qui m'aiment. Reproduit avec l'autorisation de Grace McDonald. © 1995 Grace McDonald.

J'ai «entendu» l'amour. Reproduit avec l'autorisation de Paul Barton. © 1996 Paul Barton.